Bien dit! 3

Assessment Program

HOLT McDOUGAL

 HOUGHTON MIFFLIN HARCOURT

Contributing writer
Stephanie Mitchel

Reviewer
Lori Wickert

Table of Contents

Quizzes and Tests

Table of Contents

Speaking Tests

Alternative Assessment

Rubrics

Forms

Picture Sequences

Portfolio Suggestions

Performance Assessment

Évaluation

To the Teacher

In the ***Bien dit!*** *Assessment Program,* content is tested in the same manner that it is presented and practiced in the *Student Edition.* All test activities are related to the chapter theme, direction lines provide a context for each test activity, and all items within a test activity are within the context of the activity, that is, all items are thematically related and not random.

The *Assessment Program* consists of a set of quizzes for each chapter, chapter tests that are skills-based and assess the material presented and practiced in the entire chapter, speaking tests for each chapter, midterm and final exams, and alternative assessment: portfolio suggestions, performance assessment, and picture sequences to assess the students' ability to describe and to narrate. There are scripts and answers for all of the quizzes and tests.

For each location opener, there is a **Géoculture** quiz.

The **Géoculture** quiz tests the information presented in the **Géoculture** section that precedes every set of two chapters. The first activity in this quiz is a map activity, where students are asked to identify geographical features they learned about in the **Géoculture** pages. They might be asked to identify relevant landmarks and geographical features. Other activities in this quiz will assess the student's knowledge of certain basic historical facts presented in the timeline. This quiz is a combination of closed-ended and open-ended activities.

For each chapter there are eight quizzes:

Quiz: Vocabulaire 1 and **Vocabulaire 2** contain primarily discrete items that focus on the vocabulary and functional expressions presented and practiced in each section of the chapter.

Quiz: Grammaire 1 and **Grammaire 2** test the grammar concepts presented and practiced in each section of the chapter. Both grammar concepts are included on each quiz. The vocabulary in these activities is vocabulary that has already been presented, either in the corresponding chapter or in previous chapters.

Quiz: Application 1 and **Application 2** are skills-based quizzes. They test the material from each chapter section by integrating the vocabulary items, functional expressions, and grammar in communicative contexts. The **Application** quizzes test the skills of listening, reading, and writing. Each quiz contains one listening, one reading, and one writing activity.

The points for the three quizzes for a chapter section add up to 100 points.

Quiz: Lecture

The **Lecture** quiz tests reading skills and the reading strategy presented in the *Student Edition* chapter. This is a one-page quiz consisting of three activities. Readings for this quiz will include various types of texts (for example, realia, letters, and/or short poems) that provide an opportunity to apply the strategy learned in the chapter. Students are asked to produce something that shows that they understand the strategy and can apply it to new reading material. The quiz contains, along with the reading text, a pre-reading activity, a comprehension activity, and a post-reading activity.

Quiz: Écriture

The **Écriture** quiz tests writing skills to fulfill a specific purpose. In the earlier chapters, students are asked to demonstrate their ability to use the chapter functions in writing then gradually move toward writing text that persuades, narrates, informs, and so on. This one-page quiz consists of two open-ended writing prompts that are linked to the Student Edition chapter. The writing prompts are in English and ask students to write the following types of text: conversations, ads, notes, letters, postcards, paragraphs, and so on.

The **Lecture** and **Écriture** quizzes have a point value of 35 points each, so combined with a **Géoculture** quiz, the three quizzes add together to be worth 100 points. For chapters that do not have a **Géoculture** quiz, the **Lecture** and **Écriture** quizzes combine together for 100 points.

Chapter Test: **Examen**

For each chapter, there is one chapter test (**Examen**). The chapter tests assess discrete vocabulary items, functional phrases, and grammar concepts, as well as listening, reading, writing, and speaking skills, by integrating the language learned in the chapter.

Each test has six sections that appear in the following order: Listening, Reading, Culture, Vocabulary, Grammar, and Writing. The total number of points on a test is 100. The two activities in the **listening** section of the chapter test integrate vocabulary, functional expressions, and grammar from the entire chapter. Assessment in this section is for global comprehension; it does not test discrete vocabulary items or grammar concepts. The **vocabulary** and **grammar** sections of the test focus on the vocabulary items and grammar concepts covered in the chapter. The **reading** section assesses the student's reading skills and integrates the vocabulary, functional expressions, and grammar from the chapter.

The **culture** section of the chapter test assesses the information in the **Flash culture** notes in the chapter as well as the **Culture** section of the chapter and the **Géoculture.** The **writing** section integrates the vocabulary, functional expressions, and grammar from the chapter.

For each chapter, there is a speaking test **(Examen oral)** which globally assesses oral production. Students are asked to integrate the vocabulary, functional expressions, and grammar concepts in the chapter. This is a one-page test that consists of an interview, a role-play activity, and a rubric for easy grading.

The midterm and final exams test the material presented and practiced in Chapters 1–5 and Chapters 6–10, respectively. In these exams (**Examen partiel** and **Examen final),** both discrete items and skills are tested. In the skills sections (listening, reading, and writing), language from the five chapters covered is integrated. Each of these exams is an eight-page test. Included in the *Assessment Program* are the scripts and answers needed for each exam.

Middle School Assessment

There are two midterms that go with the Middle School *Student Editions* in this *Assessment Program.* The **Examen partiel 1A** and **Examen partiel 1B** test the material presented and practiced in Chapters 1–3 and Chapters 6–8, respectively. In these exams, both discrete items and skills are tested. In the skills sections (listening, reading, and writing), language from preceding chapters is integrated. The Level 1 **Examen partiel** serves as the final exam for Level 1A and the **Examen final** serves as the final examen for Level 1B. Included in the *Assessment Program* are the scripts and answers needed for each exam.

Alternative Assessment

The purpose of the alternative assessment in this program is to provide the teacher with assessment tools that accomodate students' individual needs, ways of learning, and rates of learning when testing students' mastery of each chapter's vocabulary, functions, and grammar. The three type of alternative assessment provided (portfolio suggestions, performance assessment, and picture sequences) assess students' ability to describe and/or narrate. Each of these will be discussed in more detail in the "To the teacher" section that precedes the Alternative Assessment section of this *Assessment Program.*

Differentiated Assessment

For slower-paced and advanced versions of the quizzes and tests in the *Assessment Program,* see the ***Bien dit!*** *Differentiated Practice and Assessment CD-ROM.*

Quizzes

and

Chapter Tests

To the Teacher

Evaluating the Quizzes and Tests

The quizzes for each chapter thoroughly cover the material in the chapter (vocabulary, functional expressions, grammar, and **Géoculture),** so that student who does well on the quizzes is amply prepared for the chapter test. The discrete items on the grammar and vocabulary quizzes prepare the students for those same sections on the chapter test, while the skills-based sections and the reading and writing quizzes prepare students for the skills-based sections of the chapter test.

For each **Vocabulaire** and **Grammaire** quiz, there are four activities. The **Vocabulaire** and **Grammaire** quizzes are worth either 30 or 35 points.

The **Application** quizzes for each chapter section are also worth a total of 35 points. These three quizzes together combine to total 100 points. The **Lecture** and **Écriture** quizzes are worth 35 points each when combined with a **Géoculture** quiz. For chapters that do not have a **Géoculture** quiz, the **Lecture** and **Écriture** quizzes are worth 50 points each. These sections, with or without the **Géoculture**, add up to 100 points.

The quizzes are written so that students can complete them in no more than 20 minutes.

Chapter tests combine both discrete items and skills-based activities. They are written to be completed in no more than 50 minutes. The writing sections of the test are open-ended. Various criteria can be applied to the evaluation of the writing sections of the chapter test, but should include content, comprehensibility, and accuracy. For each writing activity, a sample answer is provided in the answer key. For a rubric that you can use for these sections, see page 333.

Géoculture

A Match each letter in the map of France with the name of the place it represents.

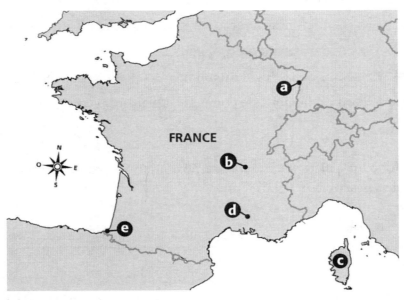

_____ 1. la Corse

_____ 2. Biarritz

_____ 3. Avignon

_____ 4. Strasbourg

_____ 5. Lyon

SCORE	/5

B Read the descriptions below and write the name of the place being described.

_____ 6. Napoléon Bonaparte est né ici.

_____ 7. Cette ville est passée de la France à l'Allemagne plusieurs fois.

_____ 8. Les rois de France ont été couronnés dans sa cathédrale.

_____ 9. La gastronomie est très importante ici.

_____ 10. Le palais des Papes domine cette ville.

SCORE	/10

QUIZ: GEOCULTURE

C Indicate whether each of the following statements is **a) vrai** or **b) faux.**

_____ 11. Le 5 mai 1867, l'armée française a vaincu les Mexicains.

_____ 12. Les Gaulois ont gouverné les Romains pendant 500 ans.

_____ 13. Vercingétorix était un chef gaulois.

_____ 14. La devise de la Révolution française était *liberté, égalité, fraternité.*

_____ 15. L'euro est la monnaie commune à tous les pays de l'UE.

SCORE	/5

D For the following historical figures, write a brief summary in French of their importance as shown in the timeline.

16. François Ier

_____

17. Léonard de Vinci

_____

18 Louis XVI

_____

19. le général de Gaulle

_____

20. Napoléon III

_____

SCORE	/10

TOTAL SCORE	/30

Vocabulaire 1

A Read each definition and choose the correct answer.

_____ 1. C'est une activité pour ceux qui aiment les films.
a. aller au cinéma   b. faire du skate   c. faire de la photo

_____ 2. C'est une salle où l'on peut emprunter des livres.
a. la cantine   b. le gymnase   c. le CDI

_____ 3. C'est le moment pendant lequel les lycéens se relaxent entre les cours.
a. l'histoire-géo   b. la récréation   c. le français

_____ 4. C'est un bon jeu à jouer quand il fait mauvais.
a. le basket   b. le tennis   c. les échecs

_____ 5. C'est la salle où on fait du sport.
a. le gymnase   b. le football   c. le basket-ball

SCORE _____ /5

B Fill in the blanks with the word that best completes each sentence.

6. Viens, on déjeune avec des copains à la _____ à midi.

7. Si tu veux, on peut jouer aux échecs, mais moi, je préfère monter à
_____.

8. Mon père n'aime pas les maths, mais il m'aide à faire mes
_____.

9. Ce que j'aime, c'est les _____, parce que j'adore
dessiner.

10. Ma sœur et moi, nous aimons _____ quand
il y a des soldes.

SCORE _____ /5

QUIZ: VOCABULAIRE 1   CHAPITRE **1**

C Provide a logical answer to these questions in a complete sentence in French.

Où est-ce que tu...

11. fais les magasins?_____

12. fais des expériences? _____

13. travailles sur ordinateur? _____

14. fais tes devoirs? _____

15. fais du sport? _____

SCORE	/5

D Answer the following questions in complete sentences in French.

16. Quelle est ta matière préférée?

_____

17. Qu'est-ce que tu aimes faire après les cours?

_____

18. Qu'est-ce que tu détestes?

_____

19. Est-ce que tu fais du sport? Lequel?

_____

20. Comment tu demandes à un ami d'aller au cinéma?

_____

SCORE	/15

TOTAL SCORE	/30

Grammaire 1

CHAPITRE **1**

QUIZ

A Choose the right form of the verb to complete the sentences.

1. Je (déteste / détestes) l'anglais, mais heureusement, j'(a / ai) de bonnes notes.

2. Pourquoi on ne/n' (allons / va) pas faire les magasins?

3. J'(aime / aimes) mieux monter à cheval.

4. Mon père ne m'(aides / aide) jamais avec mes devoirs.

5. Qui est cette fille qui (parle / parlez) avec Julien?

6. Il ne (comprends / comprend) pas pourquoi ils ne (viennent / vient) pas avec nous.

7. Qu'est-ce que tu (prend / prends) quand tu vas au café?

8. Je n'(arriver / arrive) pas à me décider.

9. Quel CD tu (vas / va) acheter pour l'anniversaire de ta sœur?

10. Tu (entends / entend) cette musique?

SCORE   /12

B A big test is coming up on Monday. Lucien is asking his friends if they want to get together to study. Complete each answer with the right form of the verb in parentheses.

Lucien Pourquoi on n'étudie pas chez moi dimanche après-midi?

Béatrice Moi, je ne peux pas. On (11) _____ chez ma grand-mère. (déjeuner)

Alain Moi non plus. Je (12) _____ à la plage avec mes cousins. (aller)

Sylvie Désolée, Lucien, j'(13) _____ une leçon de karaté. (avoir)

Cédric C'est mon anniversaire dimanche, et je (14) _____ faire la fête. (préférer)

Lucien Ah, je vois, vous ne (15) _____ qu'à vous amuser! (penser)

SCORE   /5

QUIZ: GRAMMAIRE 1   CHAPITRE **1**

C Build sentences by putting items in the right order and by using the correct form of the verb provided. Make all the necessary changes.

16. mère / faire / adorer / magasins / les / ma

_____

17. toi / la / aimer / moi / fête / mieux / et / nous / faire

_____

18. au / avec / venir / cinéma / cours / après / tu / les / moi / est-ce que

_____

19. je / cette / d'allemand / un / suivre / année / cours

_____

20. gagner / on / papa / toujours / quand / tennis / au / jouer

_____

| SCORE | /10 |

D It's your first day in a new school. Your friend calls you. He/She wants to know everything. Answer his/her questions below.

21. Alors, comment tu trouves ton nouveau lycée?

_____

22. Qu'est-ce que tu suis comme cours? Lequel tu préfères?

_____

23. Et les copains, qu'est-ce qu'ils font après les cours?

_____

24. Est-ce que tu vas au lycée en bus?

_____

| SCORE | /8 |

| TOTAL SCORE | /35 |

Application 1

Écoutons

A Listen to the conversation between Fabien and his teacher and then complete the following statements.

_____ 1. Fabien veut parler au professeur parce qu'...
   a. il est malade.
   b. il pense qu'il va rater l'examen.
   c. il ne veut plus suivre ce cours.

_____ 2. Fabien ne/n'...
   a. aime pas ce cours.
   b. comprend pas tout.
   c. veut pas étudier.

_____ 3. M. Rochefort lui conseille de/d'...
   a. ne pas passer l'examen.
   b. étudier autant que possible.
   c. bien dormir pendant le week-end.

SCORE	/9

Lisons

B Read this passage and then answer the questions that follow.

Iris est Haïtienne. Elle vient d'arriver au Canada avec sa famille. Ils habitent à Montréal. Elle est loin de chez elle, elle ne connaît personne et il fait froid. Elle n'est pas très heureuse.

Un jour, son professeur d'anglais lui demande ce qui ne va pas. Iris lui explique et il lui conseille de sortir avec le ciné-club, où on passe des films en anglais toutes les semaines.

Alors Iris sort avec le ciné-club. Ils choisissent un bon film. Après, ils vont tous au café pour en discuter. Ses nouveaux copains ont beaucoup de questions sur Haïti et sur sa vie d'autrefois. Et quand elle leur répond, elle voit qu'ils l'écoutent. Maintenant, Iris a beaucoup d'amis et elle est très heureuse.

4. Pourquoi Iris n'est pas heureuse?

_____

5. Qu'est-ce que son professeur lui dit de faire?

_____

6. Est-ce que c'est une bonne idée? Pourquoi?

_____

SCORE	/12

7

QUIZ: APPLICATION 1   CHAPITRE **1**

Écrivons

C You're writing to your penpal in France. Tell him/her what you like to do in your free time, what you just did this week, and what your plans are for the coming week.

_____

_____

_____

_____

_____

_____

_____

_____

_____

_____

SCORE	/14

TOTAL SCORE	/35

Vocabulaire 2

A Choose the right word from the box below to fill in the blanks.

camper	sac à dos	tente	maillot de bain
sac de couchage	chaussures	gourde	hôtel

Pendant les vacances, ma famille est allée (1) _____ à la

montagne. Chacun avait son (2) _____ pour tout porter, son

(3) _____ pour dormir, son (4) _____

pour se baigner et sa (5) _____ pour boire. Papa a porté la

(6) _____ pour tout le monde. Maman avait mal aux pieds à

cause de ses (7) _____, et la troisième nuit, elle a préféré

dormir dans un (8) _____.

SCORE _____ /8

B Last summer, Gilbert went away to camp. Read his letter to his mother, then
indicate whether the statements that follow are **a) vrai** or **b) faux.**

> Chère Maman,
>   Ça va, mais il pleut tous les jours. Hier, je suis monté à cheval, mais ce
> n'était pas marrant. Ensuite, nous avons fait une randonnée à pied et nous
> sommes tous tombés. Je me suis fait mal à la cheville. Plus question de faire du
> skate ou de la planche à voile!
>   Demain, je vais aller me baigner. Même s'il pleut! Ce soir, on va regarder un
> film.
> Je t'embrasse,
> Gilbert

_____ 9. Gilbert aime être en colonie de vacances.

_____ 10. Il peut faire du skate.

_____ 11. Il a bien aimé monter à cheval.

_____ 12. Tout le monde est tombé pendant la randonnée.

_____ 13. Demain soir, il va voir un film.

_____ 14. Il ne va pas nager.

SCORE _____ /6

QUIZ: VOCABULAIRE 2

C Sophie and her friends have just met up after a long weekend. Refer to the pictures to tell what they did.

15. Sophie   16. Didier et Serge   17. Isabelle et Chloé

15. _____

16. _____

17. _____

SCORE	/6

D Lucien and Farid went camping this weekend. Describe what it was like and what they did. Write at least five complete sentences in French.

_____

_____

_____

_____

_____

_____

_____

_____

SCORE	/10

TOTAL SCORE	/30

Grammaire 2

CHAPITRE **1**

QUIZ

A Read this e-mail, then fill in the blanks using these verbs in the **passé composé**.

prendre	aller	voir	sortir	dire

Noémie,

Samedi soir, je (1) _____ avec Léo. On (2) _____ au cinéma, et

après, on (3) _____ une glace dans un café. On t'(4) _____

devant le café… avec Olivier! Je suis ta meilleure amie, et tu ne m'(5)

_____ rien _____!

Pourquoi pas?

Chantal

SCORE	/5

B Your father is asking you to do the following things. Let him know you've already done them. Use object pronouns in your answers.

6. faire ses devoirs

_____

7. rendre les livres au CDI

_____

8. mettre ses affaires dans sa chambre

_____

9. prendre ses vitamines

_____

10. lire les notes du professeur

_____

SCORE	/10

QUIZ: GRAMMAIRE 2
CHAPITRE **1**

C Read what happened to Marcel and complete the sentences with the right form (**imparfait** or **passé composé**) of each verb in parentheses.

11. Hier, pendant que tu _____ encore, je/j' _____ en randonnée. (dormir, partir)

12. Et pendant que je/j'_____ ma randonnée, une fille _____ de son vélo devant moi. (faire, tomber)

13. Elle me/m' _____ qu'elle ne/n' _____ pas mal. (dire, avoir)

14. Heureusement, parce que je/j' _____ ma trousse de premiers soins avec moi. (ne pas avoir)

15. Nous _____. (beaucoup parler)

16. Elle _____ très sympa, alors je lui _____ son numéro de téléphone! (être, demander)

SCORE   /10

D You've come across some of your mother's old letters from a French penpal named Aurélie, as well as some photos of the two of them visiting each other before you were born. As far as you can tell, she and Aurélie were good friends at one time, but your mother has never mentioned her. What happened? Use your imagination, and the **passé composé** and/or **imparfait** tenses, to tell your mother's side of the story.

_____

_____

_____

_____

_____

_____

_____

_____

_____

SCORE   /10

TOTAL
SCORE   /35

Application 2

Écoutons

A Listen to the conversation between Sylvaine and Florence and then answer the following questions.

_____ 1. Où sont-elles?
        a. à la plage
        b. à la gare
        c. à l'école

_____ 2. Qui ne s'est pas dépêchée?
        a. Sylvaine
        b. Florence
        c. On ne sait pas.

_____ 3. Que s'est-il passé?
        a. Sylvaine et Florence ont perdu leurs bagages.
        b. Sylvaine et Florence ont raté le train.
        c. Sylvaine et Florence sont parties en vacances.

_____ 4. Pourquoi sont-elles arrivées en retard?
        a. Florence avait mal à l'estomac.
        b. Sylvaine n'avait pas son billet.
        c. Florence ne voulait pas partir.

_____ 5. Qu'est-ce qu'elles ont décidé de faire?
        a. Elles ont décidé d'attendre le prochain train.
        b. Elles ont décidé de rentrer chez elles.
        c. Elles ont décidé de prendre un café.

SCORE _____ /10

QUIZ: APPLICATION 2   CHAPITRE **1**

Lisons

B Read this postcard and then answer the questions that follow.

Marco

Qu'est-ce que je me suis amusé cet été!
D'abord, je suis allé en Irlande, où je me suis promené tous les jours, même quand il pleuvait. Ensuite, je suis allé à Londres, où j'ai acheté des BD en anglais que je n'ai jamais vues chez nous. De là, je suis parti en Suède pour rendre visite à mon cousin. Et comme je suis arrivé le 1er juillet, il faisait jour 24 heures sur 24. On n'a presque pas dormi pendant toute la semaine! Je me sentais un peu bizarre, mais j'ai adoré ça.
J'ai fait plein de photos, tu verras.
À bientôt!
Thierry

---

    6. Qu'est-ce que Thierry a fait en Irlande?

    _____

    7. Qu'est-ce qu'il a trouvé de spécial à Londres?

    _____

    8. Pourquoi il n'a pas beaucoup dormi en Suède?

    _____

    SCORE   /9

Écrivons

C You're on vacation and you write a postcard to your friend. Describe where you are and tell him/her what have done so far.

_____

_____

_____

_____

_____

    SCORE   /16

    TOTAL
    SCORE   /35

Lecture

A Read **Matinée aixoise**, a meditation on daily living in Aix-en-Provence. Imagine yourself in the author's shoes, then write a sentence or two about which of the senses described is strongest for you.

Le soleil entre par la fenêtre de ma petite chambre et me réveille. Je m'habille et je descends. L'air sent bon. Ça sent le café, la lessive et les plantes séchées. Il ne fait pas encore chaud. Je descends la petite rue qui va au marché. Dans la rue principale, le Cours Mirabeau, je m'arrête aux Deux Garçons. C'est mon café préféré parce qu'on y voit toujours les mêmes personnes.

Je m'installe à une petite table ronde et le serveur arrive. Je prends mon café au lait et je lis un journal qu'on a oublié. Je ne lis pas vraiment; je regarde les gens qui passent et je bois mon café lentement. Au bout d'un moment, je mets de la monnaie sur la table et je pars. Au marché, il y a déjà du monde. Sous les tentes blanches, je vois les fruits et les légumes de toutes les couleurs. Mais on n'achète pas encore: on parle, on discute, on a tout son temps. Cela va être une belle journée!

_____

_____

_____

SCORE	/8

B Decide whether the following statements are **a) vrai** or **b) faux.**

_____ 1. Les Aixois se dépêchent.

_____ 2. Le café des Deux Garçons est loin de son hôtel.

_____ 3. L'auteur regarde autour de lui.

SCORE	/9

C Answer the following questions in complete sentences.

4. Qu'est-ce que c'est, le Cours Mirabeau? _____

_____

5. Est-ce que le marché est en plein air? Explique ta réponse. _____

_____

6. Aimerais-tu habiter à Aix? Pourquoi ou pourquoi pas?_____

_____

SCORE	/18

TOTAL SCORE	/35

Écriture

A Evelyne is in the United States for the summer. She's working as a camp instructor and speaking English every day. Today it's raining, and she is writing to her mother. She tells about her duties as an instructor and explains what types of activities the kids do. Write what you think she might tell her mother.

Chère maman,

_____

_____

_____

_____

_____

_____

_____

Je t'embrasse,

Évelyne

SCORE	/15

B Have you ever traveled to a foreign country? If so, write a paragraph about your experiences. If not, write about a vacation you took. Tell about what you saw and what you did there. Or use your imagination and describe your dream trip.

_____

_____

_____

_____

_____

_____

_____

SCORE	/20

TOTAL SCORE	/35

Retour de vacances

Écoutons

A Listen to the conversation and decide whether these statements are **a) vrai** or **b) faux.**

_____ 1. Noémie préfère son nouveau professeur d'anglais à celui de l'année dernière.

_____ 2. Elle préfère un cours facile à un cours difficile.

_____ 3. Son copain n'est pas d'accord avec elle.

_____ 4. Son copain préfère la nouvelle prof à monsieur Nisco.

_____ 5. Il va demander au conseiller s'il peut changer de cours.

SCORE _____ /10

B Listen to the conversation and look at these pictures. Then match the name of each person with the illustration of what he or she did on vacation.

a.

b.

c.

d.

_____ 6. Laurent   _____ 8. Mathieu

_____ 7. Régine   _____ 9. Anne-Gaëlle

SCORE _____ /8

EXAMEN   CHAPITRE **1**

Lisons

C Look at Léa's schedule and decide whether each statement is **a) vrai** or **b) faux.**

	LUNDI	MARDI	MERCREDI	JEUDI	VENDREDI
8h	Maths	Histoire	Français	Informatique	Français
9h	Géographie	Maths	Anglais	Français	Maths
10h	Informatique	Maths	Géographie	Chimie	Allemand
11h	Français	Informatique	Maths	Anglais	Informatique
12h	Déjeuner	Déjeuner	Déjeuner	Déjeuner	Déjeuner
14h	Allemand	Biologie		Maths	Biologie
15h	Biologie	Anglais		Histoire	Biologie
16h	EPS	Français		EPS	Maths

_____ 10. Léa est au gymnase le lundi à 3 heures.

_____ 11. Léa n'a pas maths le vendredi.

_____ 12. Elle travaille sur ordinateur le jeudi à huit heures.

_____ 13. Elle est dans le laboratoire le mercredi à neuf heures.

SCORE _____ /8

D Read Jérôme's letter and answer the questions that follow.

> Tu sais que j'adore skier et cette année, j'ai trouvé un job de moniteur de ski pendant les vacances de Noël. Le jour, on apprenait à skier à des enfants de douze à quatorze ans et le soir, tous les moniteurs sortaient ensemble. C'était très sympa.
> Malheureusement, trois jours avant la fin des vacances, je suis tombé et je me suis foulé la cheville. Je suis resté dans ma chambre jusqu'à la fin des vacances! Ça, ce n'était pas très amusant!
> Jérôme

14. Où est Jérôme?

_____

15. Quel est le travail de Jérôme?

_____

16. Qu'est-ce qui s'est passé?

_____

17. Qu'est-ce que Jérôme a fait?

_____

SCORE _____ /12

EXAMEN   CHAPITRE **1**

Culture

E Choose the best ending for each statement.

_____18. À quinze ans, les lycéens peuvent...
        a. passer le bac.   b. choisir leur orientation.   c. être moniteur.

_____19. Si un lycéen réussit au bac, il peut...
        a. devenir moniteur.   b. le repasser.   c. entrer à l'université.

_____20. Pendant les vacances, les familles françaises...
        a. travaillent.   b. voyagent.   c. organisent des festivals.

_____21. Pour devenir moniteur, il faut...
        a. un passeport.   b. un diplôme spécial.   c. avoir son bac.

SCORE   /8

Vocabulaire

F Complete this conversation using words from the list.

montagne	baigner	nager	surf
ski	préfère	déteste	après

Jean-Jacques Je vais partir faire du (22) _____, c'est
génial!

Mathilde Tu sais, j'aime bien la (23) _____, mais je
(24) _____ la plage. J'adore me
(25) _____!

Jean-Jacques Ah non, je (26) _____ la plage! Il fait trop
chaud, et il y a toujours beaucoup trop de monde.

Mathilde Ah bon? Ce n'est pas parce que tu ne sais pas (27)
_____?

Jean-Jacques Bof...

Mathilde Écoute, je vais t'apprendre. C'est facile!

Jean-Jacques Tu crois?

Mathilde Tout à fait. Et (28) _____, tu peux
m'apprendre le (29) _____ de neige.

SCORE   /8

G Look at these images and then match each image with the sentence that describes it.

_____30. Hugo et Pierre sont allés faire du camping dans les montagnes.

_____31. Manouche est partie toute seule faire du ski.

_____32. Claudine et Pascale sont allées à Tahiti.

_____33. Véronique a accompagné ses parents en Arizona.

_____34. Didier et Natacha sont partis à la plage.

_____35. Et moi, j'ai fait de la photo au Mexique.

SCORE   /6

EXAMEN CHAPITRE **1**

Grammaire

H Complete these sentences with the correct form of the verb in parentheses.

36. Pour une fois, peux-tu _____ à l'heure!? (arriver)

37. Qu'est-ce que vous _____? Asseyez-vous! (attendre)

38. Si je _____ bien, c'est moi qui paie? (comprendre)

39. Tiens, ils n'_____ pas l'air en forme aujourd'hui. (avoir)

40. Ah, tu me _____ méchante, alors, là…! (trouver)

SCORE _____ /10

I Use the words below to write sentences. Remember to use the correct form of the verbs.

41. Quand / je / être / petit / je / aller / partout à vélo

_____

42. Si / tu / avoir / mon numéro / pourquoi / tu / ne pas / me / téléphoner

_____

43. Il / avoir / tellement faim / que / manger / un sandwich à onze heures

_____

44. Si / tu / savoir / ce que / je / devoir / faire / pour toi / hier

_____

45. Hier / Patricia et Alain / être / malade / alors / ils / ne pas / aller / au concert

_____

SCORE _____ /10

Écrivons

J You are writing a letter to your grandmother to find out what your father (or mother) was like at your age, and what he/she used to do. Write at least five sentences. Use the **imparfait**.

_____

_____

_____

_____

_____

_____

_____

SCORE	/10

K Madeleine is back from vacation, and Jules wants to know what she was doing and why she didn't write. Create their conversation using the **imparfait** and the **passé composé.**

Jules _____

_____

Madeleine _____

_____

Jules _____

_____

Madeleine _____

_____

Jules _____

_____

Madeleine _____

SCORE	/10

TOTAL SCORE	/100

Answer Key

Vocabulaire 1

A (5 points: 1 point per item)
1. a
2. c
3. b
4. c
5. a

B (5 points: 1 point per item)
6. cantine
7. cheval
8. devoirs
9. arts plastiques
10. faire les magasins

C (5 points: 1 point per item) Answers will vary. Possible answers:
11. Je fais les magasins au centre commercial.
12. Je fais des expériences au laboratoire.
13. Je travaille sur ordinateur dans la salle d'informatique.
14. Je fais mes devoirs à la maison.
15. Je fais du sport au gymnase.

D (15 points: 3 points per item) Answers will vary. Possible answers:
16. Ma matière préférée, c'est le français.
17. Après les cours, j'aime jouer au football avec des copains.
18. Je déteste les examens.
19. Oui. Mon sport préféré, c'est le foot.
20. Martin, pourquoi on n'irait pas au cinéma ce week-end?

Grammaire 1

A (12 points: 1 point per item)
1. déteste, ai
2. va
3. aime
4. aide
5. parle
6. comprend, viennent
7. prends
8. arrive
9. vas
10. entends

B (5 points: 1 point per item)
11. déjeune
12. vais
13. ai
14. préfère
15. pensez

C (10 points: 2 points per item)
16. Ma mère adore faire les magasins.
17. Toi et moi, nous aimons mieux faire la fête.
18. Est-ce que tu viens au cinéma avec moi après les cours?
19. Je suis un cours d'allemand cette année.
20. Papa gagne toujours quand on joue au tennis.

D (8 points: 2 points per item) Answers will vary. Possible answers:
21. J'adore mon nouveau lycée.
22. Je suis un cours de maths, un cours d'allemand, un cours d'histoire et un cours d'informatique. Mon cours préféré, c'est le cours de maths.
23. Ils font du sport ou vont au cinéma.
24. Non, je ne prends pas le bus. Je vais au lycée à pied.

Application 1

A (9 points: 3 points per item)
1. b
2. b
3. c

B (12 points: 4 points per item) Answers will vary. Possible answers:
4. Elle est loin de chez elle, elle ne connaît personne et il fait froid.
5. Il lui conseille de sortir avec le ciné-club et de voir des films en anglais.
6. Oui, c'est une bonne idée parce qu'elle a beaucoup d'amis maintenant.

C (14 points) Answers will vary. Sample answer:

Salut Hervé,
Je viens de commencer l'année et j'aime mes cours. Mon cours préféré, c'est le cours de français.
Aujourd'hui, j'ai joué de la guitare pour la première fois. C'est super!
Ce week-end, je vais aller à un concert de rock avec des copains. Etc

Answer Key

Vocabulaire 2

A (8 points: 1 point per item)
1. camper
2. sac à dos
3. sac de couchage
4. maillot de bain
5. gourde
6. tente
7. chaussures
8. hôtel

B (6 points: 1 point per item)
9. b
10. b
11. b
12. a
13. b
14. b

C (6 points: 2 points per item) Answers will vary. Possible answers:
15. Sophie est allée à la pêche
16. Didier et Serge ont joué au tennis
17. Isabelle et Chloé sont montées à cheval

D (10 points) Answers will vary. Sample answer:

On est allés camper à la montagne. C'était super. Il faisait beau et on a fait des randonnées tous les jours. Le soir, on faisait un feu de camp et on jouait de la guitare. J'ai pris beaucoup de photos.

Grammaire 2

A (5 points: 1 point per item)
1. suis sortie
2. est allés
3. a pris
4. a vue
5. as, dit

B (10 points: 2 points per item)
6. Je les ai faits.
7. Je les ai rendus.
8. Je les ai mises dans ma chambre.
9. Je les ai prises.
10. Je les ai lues.

C (10 points: 1 point per item)
11. dormais, suis parti
12. faisais, est tombée
13. a dit, avait
14. n'avais pas
15. avons beaucoup parlé
16. était, ai demandé

D (10 points) Answers will vary. Sample answer:
Aurélie était ma meilleure amie. Un jour nous étions en vacances au bord de la mer et nous sommes parties faire de la voile avec un moniteur. Il était très beau et il m'a demandé mon numéro de téléphone. Depuis ce moment-là, Aurélie ne m'a plus jamais parlé!

Application 2

A (10 points: 2 points per item)
1. b
2. b
3. b
4. a
5. a

B (9 points: 3 points per item) Answers will vary. Possible answers:
6. Il s'est promené tous les jours.
7. Il a trouvé des BD qu'il n'a jamais vues en France.
8. Il est arrivé au moment où il fait jour tout le temps.

C (16 points) Answers will vary. Sample answer:
Salut,
Je suis à la montagne avec mes cousins. Il fait beau et on skie tous les jours! Il y a beaucoup de monde à l'hôtel et c'est très sympa. Hier, mes cousins sont allés à la pêche mais je ne suis pas allé avec eux. J'ai préféré faire une randonnée avec des copains.

Answer Key

Géoculture

A (5 points: 1 point per item)
1. c
2. e
3. d
4. a
5. b

B (10 points: 2 points per item)
6. la Corse
7. Strasbourg
8. Reims
9. Lyon
10. Avignon

C (5 points: 1 point per item)
11. b
12. b
13. a
14. a
15. b

D (10 points: 2 points per item) Answers will vary. Possible answers:
16. Il a introduit la Renaissance italienne en France.
17. Il a habité à Amboise.
18. Il a été roi de France.
19. Il a quitté le pouvoir en 1969.
20. Il a envoyé Maximilien d'Autriche au Mexique.

Lecture

A (8 points)   Answers will vary. Sample answer:
Je crois qu'Aix est une ville calme. Les gens ne sont pas pressés. Ils se promènent à pied, se connaissent et se parlent.

B (9 points: 3 points per item)
1. b
2. b
3. a

C (18 points: 6 points per item)
Answers will vary. Possible answer:
4. C'est la rue principale d'Aix.
5. Oui, c'est un marché en plein air. Il y a des tentes.
6. Oui. Habiter à Aix, c'est être un peu en vacances.

Écriture

A (15 points) Answers will vary. Sample answer:

Je m'amuse bien ici! Je suis très occupée et je parle anglais tous les jours. Mais aujourd'hui il pleut, alors j'ai le temps de t'écrire. J'apprends aux enfants à faire de la photo et à jouer de la guitare.

B (20 points) Answers will vary. Sample answer:

Quand j'avais huit ans, ma famille est partie au Canada. Nous y sommes allés en voiture. Ce n'était pas très loin de chez nous, mais pour moi, c'était un autre monde. Nous avons vu la Fête des tulipes à Ottawa et le Château Frontenac à Québec. [etc.]

Answer Key

Écoutons

A (10 points: 2 points per item)

1. a
2. b
3. b
4. b
5. a

B (8 points: 2 points per item)

6. b
7. c
8. a
9. d

Lisons

C (8 points: 2 points per item)

10. b
11. b
12. a
13. b

D (12 points: 3 points per item)

14. Jérôme est à la montagne.
15. Il est moniteur de ski.
16. Il s'est foulé la cheville.
17. Il est resté dans sa chambre.

Culture

E (8 points: 2 points per item)

18. b
19. c
20. b
21. b

Vocabulaire

F (8 points: 1 point per item)

22. ski
23. montagne
24. préfère
25. baigner
26. déteste
27. nager
28. après
29. surf

G (6 points: 1 point per item)

30. c
31. e
32. f
33. d
34. b
35. a

Grammaire

H (10 points: 2 points per item)

36. arriver
37. attendez
38. comprends
39. ont
40. trouves

I (10 points: 2 points per item)

41. Quand j'étais petit(e), j'allais partout à vélo.
42. Si tu avais mon numéro, pourquoi tu ne m'as pas téléphoné?
43. Il avait tellement faim qu'il a mangé un sandwich à onze heures.
44. Si tu savais ce que j'ai dû faire pour toi hier!
45. Hier, Patricia et Alain étaient malades alors ils ne sont pas allés au concert.

Écrivons

K (10 points) Answers will vary. Sample answer:

Chère mamie,

Quand elle avait mon âge, qu'est-ce que maman aimait faire? Quel était son sport préféré? Qu'est-ce qu'elle n'aimait pas comme cours à l'école? Est-ce qu'elle allait en vacances avec papy et toi? Est-ce que vous alliez à la campagne ou à la mer?

L (10 points) Answers will vary. Sample answer:

—Je suis content de te revoir. Mais pourquoi tu ne m'as jamais écrit?

—Eh bien, j'ai été très occupée.

—Moi aussi, mais je t'ai envoyé des cartes postales, au moins!

—Eh bien, c'est que j'avais un petit copain, voilà.

—Ah, je comprends maintenant!

Scripts: Quizzes

Application 1

A

Fabien	Monsieur, je peux vous parler?
M. Rochefort	Bien sûr, Fabien. Qu'est-ce qu'il y a?
Fabien	Je pense que je vais rater l'examen de lundi.
M. Rochefort	Pourquoi? Tu travailles beaucoup pourtant.
Fabien	Oui, j'aime bien faire les expériences, mais quand je rentre chez moi et que je regarde mes cahiers, il y a des choses que je ne comprends toujours pas.
M. Rochefort	Ne t'en fais pas. L'examen se passe au laboratoire. On va faire des expériences comme celles qu'on a faites pendant la semaine.
Fabien	Ah bon?
M. Rochefort	Oui, Fabien. À mon avis, tu devrais bien dormir pendant le week-end.

Application 2

A

Sylvaine	Florence! Nous avons raté le train!
Florence	Ah non! Je pensais que....
Sylvaine	Il fallait te dépêcher!
Florence	Je suis désolée, Sylvaine, je croyais que…
Sylvaine	Nous sommes parties bien trop tard!
Florence	C'est que… j'avais mal à l'estomac.
Sylvaine	Écoute, on peut peut-être encore arriver avant ce soir.
Florence	Ah oui?
Sylvaine	On m'a dit qu'il y a un autre train tout à l'heure.
Florence	Je le savais!

Scripts: Examen

A   **Léon**   Bonjour, Noémie. Comment tu trouves ton nouveau prof d'anglais?

     Noémie   Eh bien, je le préfère à celui qu'on avait l'année dernière.

     Léon   On dit que son cours est difficile.

     Noémie   Oui, mais, tu sais, je préfère un cours difficile à un cours trop facile!

     Léon   Tout à fait. Moi, j'ai la nouvelle prof d'italien.

     Noémie   Ah bon? Comment tu la trouves?

     Léon   Franchement, j'aimais mieux monsieur Nisco.

     Noémie   Et alors, est-ce que tu vas rester dans son cours?

     Léon   Je vais demander ça à mon conseiller.

B   **Laurent**   Salut, les copains! Alors, vous vous êtes bien amusés pendant les vacances? Qu'est-ce que tu as fait, Régine?

     Régine   Moi, je suis allée en Irlande en bateau! C'était super. Il faisait froid le soir, mais pendant la journée, il faisait beau.

     Laurent   Génial! Et toi, Mathieu, qu'est-ce que tu as fait?

     Mathieu   Tu sais, mon sport préféré, c'est le vélo. Alors, cet été, j'ai fait le tour de Normandie en vélo!

     Laurent   Ouah! Anne-Gaëlle, tu ne dis rien…!

     Anne-Gaëlle   Ah, moi? C'était assez calme. On est partis à la campagne chez ma grand-mère, mais sans mon père, qui devait travailler. Lui, il est venu tous les week-ends. On allait le chercher à l'aéroport tous les vendredis. C'était sympa. Et toi, Laurent, qu'est-ce que tu as fait? Raconte!

     Laurent   Eh bien, moi, j'ai fait le tour des États-Unis en autocar. On est allés dans plusieurs états. Il y avait plein de choses à voir! C'était vraiment génial!

Vocabulaire 1

CHAPITRE **2**

QUIZ

A You and your friends are being asked what you want to do in life. Match the
statement below with a career. Careful, there is one career too many!

_____ 1. Je parle anglais, français et allemand!

_____ 2. Raoul essaie toujours de nouveaux plats.

_____ 3. Rémy adore dessiner des vêtements.

_____ 4. Mathieu travaille toujours sur ordinateur.

_____ 5. Pascal aime la campagne.

_____ 6. Joël adore les livres.

a. couturier
b. informaticien
c. interprète
d. libraire
e. chanteur
f. fermier
g. cuisinier

SCORE ___ /6

B Where is everyone going? Match the picture with the sentence that describes it.

a.

b.

c.

d.

e.

_____ 7. Je dois me faire laver les cheveux.

_____ 8. Tu dois te faire soigner tout de suite.

_____ 9. Il doit faire soigner son chat.

_____ 10. Elle doit faire réparer sa voiture.

_____ 11. Il doit faire faire un gâteau d'anniversaire.

SCORE ___ /5

QUIZ: VOCABULAIRE 1   CHAPITRE **2**

C Answer these questions about your future. You can use any of the words in the box below to help you. Or choose another career that interests you.

études	vétérinaire	mécanicien	interprète
cuisinier	pharmacien	pâtissier	ingénieur

12. Qu'est-ce que tu as l'intention de faire après le lycée?

   _____

13. Qu'est-ce que tu comptes faire comme métier?

   _____

14. Quels sont tes projets d'avenir?

   _____

SCORE   /9

D You are sharing a house with two other students and you want to divide up the housework. Be polite when you request that they help you with the chores below.

15. sortir la poubelle

   _____

16. passer l'aspirateur

   _____

17. faire la vaisselle

   _____

18. tondre la pelouse

   _____

19. laver la voiture

   _____

SCORE   /10

TOTAL
SCORE   /30

Grammaire 1

A Write in the letter of the correct verb form to complete the sentences below.

_____ 1. Maman est fatiguée, alors tu _____ les courses.

    a. faire   b. feras   c. faisais

_____ 2. Oncle Hugo est malade, alors papa _____ le voir ce soir.

    a. irait   b. ira   c. allait

_____ 3. Mon professeur n'est pas là, alors je/j'_____ étudier à la bibliothèque.

    a. irez   b. vas   c. irai

_____ 4. J'espère que tu _____ avec moi.

    a. viendras   b. viendra   c. viennes

_____ 5. Ne t'en fais pas! Nous _____ à l'heure pour le cours de maths.

    a. serez   b. soyons   c. serons

SCORE	/5

B Look at these pictures. Write the feminine form of the jobs pictured.

_____ 6.   _____ 7.   _____ 8.

_____ 9.   _____ 10.

SCORE	/5

QUIZ: GRAMMAIRE 1   **CHAPITRE 2**

C Olivier and his brother Luc are feeling pressured about their future. Their family and friends expect certain things, but the brothers have their own plans. Replace the underlined verbs with the future tense.

11. Maman pense que je <u>vais faire</u> des études à l'université, mais moi, je _____ le tour du monde.

12. Mon oncle pense que Luc <u>va travailler</u> pour lui, mais il _____ pour lui-même.

13. Grand-père pense que mon frère et moi nous <u>allons passer</u> les vacances chez lui, mais nous les _____ au Mexique.

14. Laurent pense que Luc <u>va prendre</u> un appartement avec lui, mais il en _____ un tout seul.

15. Simone pense que je <u>vais aller</u> au cinéma avec elle, mais moi, je/j' _____ au cinéma avec qui je veux!

SCORE	/10

D Tell what profession each person will choose. Write complete sentences using the words provided. Use the future tense and make all the necessary changes.

16. Émilie / devenir / décorateur / et / travailler / pour des grands magasins

_____

17. Ma nièce / être / pilote / et / voyager / dans le monde entier

_____

18. Alice / faire des études / pour / devenir / infirmier

_____

19. Jeanne / aller / en Chine / et / être / tuteur d'anglais

_____

20. Marcia et Aline / devenir / pâtissier / et / ouvrir / un salon de thé

_____

SCORE	/15

TOTAL SCORE	/35

Application 1

Écoutons

A Brigitte and her mother are talking on the telephone. Listen to their conversation, and then answer the questions.

1. Qu'est-ce que la mère de Brigitte doit faire? _____

2. Qui est-ce qu'elle doit appeler? _____

3. Pourquoi? _____

4. Où est-ce qu'elle doit aller? _____

5. Qu'est-ce qu'elle demande à Brigitte? _____

SCORE ___ /10

Lisons

B It's the first day at your new internship. Your boss is out of town, but she's left a note. Read her note and say if the following statements are **a) vrai** or **b) faux.**

> **À l'attention de:** *Michel (stagiaire)*
>
> **Sujet:** *Pendant mon absence*
>
> *Bonjour! J'espère que vous trouverez tout ce qu'il vous faudra. Je reviendrai ce soir, alors on se verra demain. Ce matin, un de nos clients passera pour nous donner son chèque. Et le décorateur viendra plus tard regarder le bureau, pour décider où l'on pourra faire construire des étagères. Une dernière chose: veuillez trouver un document en anglais ci-joint. Je sais que vous n'êtes ni traducteur ni secrétaire, mais je n'arrive pas à le comprendre. Ça ne vous ennuierait pas de le traduire?*
> *Merci et à bientôt,*
> *Sylvaine*

_____ 6. Sylvaine revient demain.

_____ 7. Elle attend le décorateur.

_____ 8. Elle veut faire construire des étagères dans son bureau.

_____ 9. Elle comprend bien l'anglais.

_____ 10. Michel est interprète.

SCORE ___ /10

QUIZ: APPLICATION 1

Écrivons

C What do you think you will want to do after high school? Write about your plans or ideas for the future. Include any future studies and career plans. Write at least five sentences.

_____

_____

_____

_____

_____

_____

_____

_____

_____

_____

| SCORE | /15 |

| TOTAL SCORE | /35 |

Vocabulaire 2

A Look at the pictures and match them with the statements that follow.

a.

b.

c.

d.

e.

_____ 1. Elle est au chômage et ne trouve pas de travail.

_____ 2. Il fait des heures supplémentaires tous les jours.

_____ 3. On vient de lui offrir l'emploi qu'elle voulait.

_____ 4. Il a été licencié.

_____ 5. Elle a un bon salaire.

SCORE _____ /5

B Read the letter Béatrice sent and decide if the statements are **a) vrai** or **b) faux**.

> Monsieur,
> Je suis étudiante en arts. Dans le cadre de mes études, je voudrais effectuer un stage d'un mois dans votre maison. Je trouve votre travail très intéressant.
> Veuillez trouver ci-joint mon curriculum vitae. Vous pouvez me contacter par téléphone ou par e-mail.
> En attendant votre réponse, je vous prie d'agréer, Monsieur, …

_____ 6. Béatrice cherche un travail à temps plein.

_____ 7. Elle aime le travail du directeur.

_____ 8. Il pourra lui répondre par courrier.

_____ 9. Béatrice a déjà fini ses études.

_____ 10. Elle aimerait faire un stage pendant tout l'été.

SCORE _____ /5

QUIZ: VOCABULAIRE 2   CHAPITRE **2**

C Max Fisk, an American living in Lyon, is calling Mme Picard by phone to schedule an interview at her company. Write his side of the conversation using the cues provided.

Mme Picard   Amélie Picard, j'écoute.

Max   _____

Mme Picard   Oui. Qui est à l'appareil?

Max   _____

Mme Picard   Désolée, il n'est pas là. Vous pouvez rappeler plus tard?

Max   _____

Mme Picard   Un moment. Voilà, je vous écoute.

Max   _____

Mme Picard   Pourriez-vous nous envoyer votre CV?

Max   _____

SCORE ____ /10

D Choose a job you would like and write a **lettre de motivation.** Be sure to use formal language and to give the information the employer would need to hire you.

_____

_____

_____

_____

_____

_____

_____

_____

_____

_____

SCORE ____ /10

TOTAL
SCORE ____ /30

Grammaire 2

A Choose the right form of the verb to fill in the blanks.

_____ 1. Papa me conduira au stade quand il _____ la voiture.

      a. lave   b. aura lavé   c. avait lavé

_____ 2. Quand tu _____ tes devoirs, nous irons à la piscine.

      a. seras fini   b. finiras   c. auras fini

_____ 3. Je viendrai te chercher quand je/j' _____ mes clés de voiture.

      a. aurai trouvé   b. avais trouvé   c. trouvais

_____ 4. Vous comprendrez le problème quand vous _____ les exercices.

      a. fassiez   b. avez fait   c. aurez fait

_____ 5. Quand elle _____ de la musculation, Karine sera plus forte.

      a. aura fait   b. ferait   c. avait fait

SCORE _____ /5

B Use the elements provided to write a sentence in the order the actions will happen. In your sentences, use the future and the future perfect.

6. je: ouvrir la porte / trouver la clé

_____

7. tu: faire tes devoirs / regarder la télé

_____

8. Alain: gagner assez d'argent / acheter un vélo

_____

9. Pia: partir en voyage / recevoir son passeport

_____

10. Nous: manger notre dessert / faire la vaisselle

_____

SCORE _____ /10

QUIZ: GRAMMAIRE 2   CHAPITRE **2**

C Replace the underlined words with the present participle or verbal adjective.

11. Seuls les élèves <u>qui réussissent</u> au bac peuvent entrer à l'université.

_____

12. Quand tu seras à l'université, tu auras des cours <u>qui t'intéressent</u>.

_____

13. On dit que les personnes <u>qui habitent</u> à la campagne sont moins stressées.

_____

14. Les gens <u>qui ne savent pas</u> lire trouvent difficilement du travail.

_____

15. Les gens <u>qui ont</u> un passeport américain n'ont pas besoin de visa pour aller au Mexique.

_____

SCORE   /10

D Write a paragraph telling your friend five things that he/she should NOT do at the same time as doing something else.

_____

_____

_____

_____

_____

_____

_____

_____

_____

_____

SCORE   /10

TOTAL
SCORE   /35

Application 2

Écoutons

A Listen to these statements and decide whether the speaker is being **a)** polite or **b)** not polite.

_____ 1.

_____ 2.

_____ 3.

_____ 4.

_____ 5.

SCORE ____ /10

Lisons

B Read these job advertisements and answer the questions that follow.

RECHERCHE directeur pour le Centre de Recherches. Cherche personne jeune et dynamique ayant diplôme scientifique, parlant anglais, allemand et italien. Disponible immédiatement. Salaire motivant. Envoyer CV et lettre de motivation au CRC, 34 rue des Moines, 13100 Aix-en-Provence.

Restaurant des Trois Lingots recherche cuisinier ayant cinq ans d'expérience. Spécialités françaises, italiennes et tunisiennes. Travail à temps plein, week-ends et jours fériés inclus. Tél: 06 32 43 78 90

6. À quelle annonce une jeune femme parlant italien devrait-elle répondre?

_____

7. Que faut-il avoir pour travailler aux Trois Lingots?

_____

8. Que faut-il faire pour avoir une entrevue pour le travail de directeur du Centre?

_____

9. Quel genre de cuisine trouve-t-on aux Trois Lingots?

_____

10. Quel emploi commence tout de suite?

_____

SCORE ____ /10

41

QUIZ: APPLICATION 2 CHAPITRE **2**

Écrivons

C You're throwing a party for a friend who was just hired at his/her first full-time job and you ask some other friends to help you. Politely, ask five friends to do five different things to help you prepare.

_____

_____

_____

_____

_____

_____

_____

_____

_____

_____

_____

_____

| SCORE | /15 |

| TOTAL SCORE | /35 |

Lecture

A Read this letter and decide if the statements that follow are **a) vrai** or **b) faux**.

Madame la Directrice,

Permettez-moi de me présenter: je suis américaine, femme d'un médecin français. Cette année, il aura travaillé aux États-Unis depuis trois ans et devra retourner en France pour continuer ses travaux. J'irai avec lui, alors je cherche un emploi.

Je connais le métier de décoratrice, ayant déjà fait un stage chez J&C à Dallas et je parle très bien français.

Veuillez trouver ci-joint mon CV. Si possible, j'aimerais venir vous voir dans un mois, quand nous serons arrivés à Montpellier.

En attendant votre réponse, je vous prie, Madame, d'agréer l'expression de mes sentiments distingués.

Sarah R. Pineau

_____ 1. Sarah et son mari sont déjà arrivés en France.

_____ 2. Sarah n'a aucune expérience comme décoratrice.

_____ 3. Son mari est médecin.

_____ 4. Pendant son séjour aux États-Unis, son mari était au chômage.

_____ 5. Sarah montrera son CV quand elle aura une entrevue avec la directrice.

SCORE ___ /15

B Write a brief note to the **directrice** summarizing Sarah's letter and recommending that she schedule an interview with Sarah.

_____

_____

_____

SCORE ___ /15

C Maintenant, imagine que tu cherches du travail en France. Quel genre de travail pourrais-tu faire? Pourquoi tu as choisi ce travail?

_____

_____

_____

SCORE ___ /20

TOTAL SCORE ___ /50

Écriture

A Gilles Dufour calls and asks to speak with Monsieur Reynaud about a job opening. Write their conversation and make sure each person speaks at least three times.

_____

_____

_____

_____

_____

_____

_____

_____

_____

| SCORE | /25 |

B You are placing an ad for an experienced English-speaking assistant at your bookstore in Lyon. You want to keep the ad short to save on cost but you still want someone of quality as your employee. Write the ad and mention several requirements.

_____

_____

_____

_____

_____

_____

_____

| SCORE | /25 |

| TOTAL SCORE | /50 |

Le monde du travail

Écoutons

A Listen to these phone conversations and match each image with the conversation you hear.

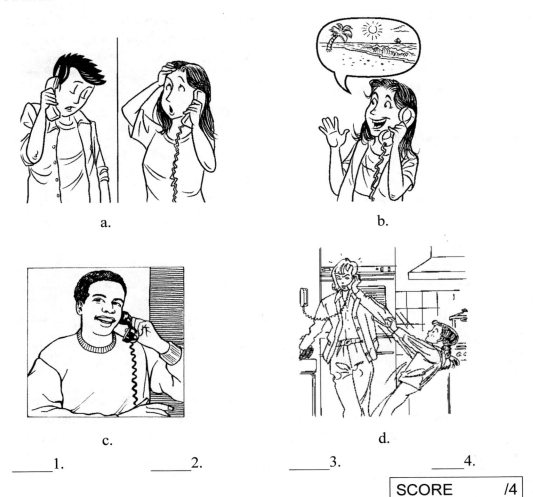

a.

b.

c.

d.

_____ 1.   _____ 2.   _____ 3.   _____ 4.

SCORE   /4

B Listen to the speakers and then rewrite their statements in polite language.

5. _____

6. _____

7. _____

8. _____

9. _____

SCORE   /5

Lisons

C Read this job offer and answer the questions that follow.

COMPTABLE recherche jeune assistant(e) dynamique, parlant anglais, bonne présentation/bonne formation, Bac+3, pour travail à plein temps. Débutant(e) accepté(e), heures supplémentaires requises, salaire motivant. Envoyer CV avec lettre de motivation et photo à: JMG, 68, boulevard d'Antin, 75006 Paris.

_____ 10. Le/La candidat(e) doit être...

a. jeune.   b. anglais(e).   c. riche.

_____ 11. Il/Elle peut être...

a. étudiant(e).   b. sans expérience.   c. élève.

_____ 12. Le CV doit être accompagné d'un(e)...

a. chèque.   b. passeport.   c. photo.

SCORE ____ /9

D Read this letter and say if the statements that follow are **a) vrai** or **b) faux.**

Madame la Directrice,
Je suis actuellement étudiant en troisième année de médecine à l'Université de Montpellier. Dans le cadre de mes études, je dois faire un stage d'une durée d'un an. Vos recherches m'intéressent beaucoup et j'aimerais effectuer ce stage dans votre hôpital.
Je suis très motivé et prêt à commencer quand les cours seront finis au mois de juin. S'il est possible, j'aimerais venir discuter de ce stage avec vous, le plus tôt possible. Dans l'attente d'une réponse favorable, je vous prie d'agréer, Madame, l'expression de mes sentiments distingués.
Nicolas Guerrin

_____ 13. L'étudiant ne connaît pas le travail de la directrice.

_____ 14. Il veut venir lui parler tout de suite.

_____ 15. Il doit faire un stage juste pendant les vacances.

SCORE ____ /6

EXAMEN   CHAPITRE **2**

Culture

E Choose the letter corresponding to the best ending to each statement.

_____16. Le droit de grève est reconnu par la Constitution depuis...
  a. 1946.
  b. 1964.
  c. 1956.

_____17. L'ANPE est une organisation qui centralise...
  a. les grèves.
  b. les congés payés.
  c. les offres d'emploi.

_____18. En France, avec son CV on ne doit pas inclure...
  a. sa carte bancaire.
  b. sa photo.
  c. son expérience professionnelle.

_____19. En France, les employés ont droit à...
  a. 5 semaines de vacances par an.
  b. 5 jours de vacances par mois.
  c. 5 heures de congé par semaine.

_____20. La population active est répartie en trois secteurs:
  a. les services, l'industrie et l'agriculture
  b. l'éducation, l'agriculture et les services
  c. l'agriculture, l'industrie et l'éducation

_____21. Les syndicats organisent...
  a. des offres d'emploi.
  b. des manifestations.
  c. des congés payés.

SCORE _____ /6

EXAMEN   CHAPITRE **2**

Vocabulaire

F You're the receptionist, and your boss isn't taking any calls today, except from his lawyer. Read these callers' statements and match them with the best responses.

_____ 22. Oui, est-ce que je pourrais parler avec le directeur, s'il vous plaît?

_____ 23. Euh, je suis bien chez Marco?

_____ 24. Oui, j'appelle de BancAmica pour parler avec votre directeur.

_____ 25. Bonjour, est-ce que mon frère est là?

_____ 26. Ici Jeanne Bois, l'avocate de monsieur Lorrain.

a. Il n'est pas là. Vous pouvez rappeler?
b. Un instant, je vous le passe.
c. Non, vous avez fait le mauvais numéro.

SCORE _____ /10

G Using the words from the list, complete the sentences below. Make all the necessary changes.

licencié	salaire	chômage	partiel	traducteur
emploi	supplémentaires	chanteur	secrétaire	congé

27. Liliane voudrait devenir _____, mais ses parents préféreraient qu'elle soit _____.

28. Après dix heures _____ par semaine, on a droit à un jour de congé.

29. Il a travaillé à l'hôpital pendant trois ans, mais on l'a _____.

30. Quel _____ est-ce que je gagnerais ici?

31. Si vous cherchez un _____, adressez-vous au directeur.

32. Je cherche un travail à temps _____, parce que j'ai un enfant.

33. On a droit à combien de jours de _____ payés?

34. Je suis au _____ depuis un an, et je ne sais plus quoi faire.

35. Téléphonez au _____ si vous voulez une entrevue.

SCORE _____ /10

Grammaire

H Write sentences telling what these people will do starting with the logical action first. Use the future and the future perfect in each sentence.

36. Lucas: s'habiller / se laver _____

_____

37. Julien et Fabien: finir leurs cours / partir en vacances _____

_____

38. mes parents: gagner assez d'argent / acheter une maison _____

_____

39. je: te répondre / recevoir ton e-mail _____

_____

40. nous: rendre les livres au CDI / les lire _____

_____

SCORE _____ /10

I Complete these sentences with **conduire, construire, produire** or **traduire.**

41. Léa parle bien français. Elle _____ même des livres!

42. Nous _____ des tracteurs à la campagne.

43. En quoi la tour Eiffel est-elle _____?

44. Cette société devra avoir _____ le nouveau modèle avant la fin du mois.

45. Vous _____ votre propre maison! Génial!

SCORE _____ /10

J Complete the following sentences with the present participle or the verbal adjective of the verb in parentheses.

46. J'adore écouter la radio en _____ (conduire).

47. Nous admirons les couleurs _____ (changer) des feuilles en automne.

48. Nous ne regardons jamais la télévision en _____ (manger).

49. Ali, ne _____ (savoir) pas répondre, n'a pas réussi à l'interro.

50. Tu trouveras plus facilement du travail en _____ (avoir) de l'expérience.

SCORE _____ /10

EXAMEN   CHAPITRE **2**

Écrivons

K You're planning a trip. Describe five things you have to do or need to have done before you can leave.

_____

_____

_____

_____

_____

_____

_____

_____

SCORE   /10

L Five of your friends are responding to the survey **Quel métier aimerais-tu faire?** asking what they want to do later in their life and why. Imagine their answers and a different profession for each person.

Victor _____

Marianne _____

Mathias _____

Mélanie _____

Pauline _____

SCORE   /10

TOTAL
SCORE   /100

Answer Key

Vocabulaire 1

A (6 points: 1 point per item)
1. c
2. g
3. a
4. b
5. f
6. d

B (5 points: 1 point per item)
7. d
8. a
9. b
10. e
11. c

C (9 points: 3 points per item) Answers will vary. Possible answers:
12. Je vais faire des études à l'université.
13. Je compte être vétérinaire.
14. Je voudrais travailler comme interprète.

D (10 points: 2 points per item) Answers will vary. Possible answers:
15. Pourrais-tu sortir la poubelle?
16. Ça ne te dérangerait pas de passer l'aspirateur?
17. Pourriez-vous faire la vaisselle, s'il vous plaît?
18. Est-ce que tu pourrais tondre la pelouse?
19. Vous serait-il possible de laver la voiture?

Grammaire 1

A (5 points: 1 point per item)
1. b
2. b
3. c
4. a
5. c

B (5 points: 1 point per item)
6. une fermière/une agricultrice
7. un médecin/une doctoresse
8. une informaticienne
9. une mécanicienne
10. une actrice/une chanteuse

C (10 points: 2 points per item)
11. ferai
12. travaillera
13. passerons
14. prendra
15. irai

D (15 points: 3 points per item) Answers will vary. Possible answers:
16. Émilie deviendra décoratrice et travaillera pour des grands magasins.
17. Ma nièce sera pilote et voyagera dans le monde entier.
18. Alice fera des études pour devenir infirmière.
19. Jeanne ira en Chine et sera tutrice d'anglais.
20. Marcia et Alice deviendront pâtissières et ouvriront un salon de thé.

Application 1

A (10 points: 2 points per item) Answers will vary. Possible answers:
1. Elle a beaucoup de choses à faire.
2. Elle doit appeler le plombier.
3. Pour faire réparer le robinet de sa salle de bain.
4. Elle doit aller chez le coiffeur.
5. Elle lui demande d'aller chercher son père à l'aéroport.

B (10 points: 2 points per item)
6. b
7. a
8. a
9. b
10. b

C (15 points) Answers will vary. Sample answer.
Après le lycée, j'aimerais continuer mes études pour devenir vétérinaire. J'adore les animaux et je voudrais apprendre à les soigner. J'aimerais aussi habiter à la campagne, comme ça, je pourrai avoir beaucoup d'animaux chez moi!

Answer Key

Vocabulaire 2

A (5 points: 1 point per item)

1. c	4. a
2. b	5. e
3. d	

B (5 points: 1 point per item)

6. b	9. b
7. a	10. b
8. b	

C (10 points: 2 points per item) Answers will vary. Sample answer:

—Je suis bien au cabinet de monsieur Fabre?

—Max Fisk. Est-ce que je pourrais parler à monsieur Fabre, s'il vous plaît?

—Est-ce que je peux laisser un message?

—Vous pourriez dire à monsieur Fabre que j'aimerais faire un stage dans son cabinet cet été?

—Oui, je vais vous l'envoyer avec ma lettre de motivation.

D (10 points) Answers will vary. Sample answer:

Madame,

Je suis étudiante en art dramatique et pour acquérir l'expérience nécesssaire à ma formation, j'aimerais faire un stage dans votre troupe théâtrale. Dans le cadre de mes études, j'ai déjà participé au festival de théâtre d'Avignon, l'été dernier.

En attendant votre réponse, je vous prie d'agréer, Madame, l'expression de mes sentiments distingués.

Alexandra Simon

Grammaire 2

A (5 points: 1 point per item)

1. b
2. c
3. a
4. c
5. a

B (10 points: 2 points per item)

6. J'ouvrirai la porte quand j'aurai trouvé la clé.

7. Tu regarderas la télé quand tu auras fait tes devoirs.

8. Alain achètera un vélo quand il aura gagné assez d'argent.

9. Pia partira en voyage quand elle aura reçu son passeport.

10. Nous ferons la vaisselle quand nous aurons mangé notre dessert.

C (10 points: 2 points per item)

11. réussissant	14. ne sachant pas
12. intéressants	15. ayant
13. habitant	

D (10 points) Answers will vary. Sample answer:

Tu ne devrais pas regarder la télé en mangeant. Tu ne devrais pas te maquiller en conduisant. Tu ne devrais pas parler avec tes amies en étudiant à la bibliothèque. Tu ne devrais pas courir en descendant l'escalier. Tu ne devrais pas téléphoner en prenant un bain.

Application 2

A (10 points: 2 points per item)

1. a	4. a
2. b	5. b
3. a	

B (10 points: 2 points per item) Answers will vary. Possible answers.

6. à la première annonce

7. Il faut avoir 5 ans d'expérience.

8. Il faut envoyer son CV et une lettre de motivation.

9. de la cuisine française, italienne et tunisienne

10. Le travail de directeur au Centre de recherche.

C (15 points) Answers will vary. Sample answer:

Aline, pourrais-tu apporter tes CD? Paul te serait-il possible de faire les sandwichs? Etc.

Lecture

A (15 points: 3 points per item)
1. b
2. b
3. a
4. b
5. b

B (15 points) Answers will vary. Sample answer.
Madame
Cette lettre vient d'une Américaine qui cherche un emploi. Elle parle français et a fait un stage comme décoratrice. Je vous conseille de la voir quand elle sera à Montpellier le mois prochain.

C (20 points) Answers will vary. Sample answer.
J'aime les enfants et je parle anglais. Je pourrais être tuteur/tutrice d'anglais et/ou m'occuper d'enfants pendant les vacances, les conduire à la piscine quand les parents travaillent. Etc.

Écriture

A (25 points) Answers will vary. Sample answer.

Le secrétaire	Allô, Publicis.
GD	Oui, bonjour, je voudrais parler avec monsieur Reynaud, s'il vous plaît.
Le secrétaire	C'est de la part de qui?
GD	Je m'appelle Gilles Dufour.
Le secrétaire	Ne quittez pas, monsieur Dufour, je vous le passe.
GD	Merci.
M. Reynaud	Ici Fernand Reynaud.
GD	Bonjour, monsieur, je m'appelle Gilles Dufour et je vous téléphone suite à votre annonce du…. Etc.

B (25 points) Answers will vary. Sample answer.
RECHERCHE assistant(e) parlant anglais, français et allemand pour travail à temps plein, Librairie Mirabeau. Formation offerte. Téléphoner au 02.46.05.76.31.

Answer Key

Écoutons

A (4 points: 1 point per item)
1. a
2. d
3. b
4. c

B (5 points: 1 point per item) Answers will vary. Possible answers:
5. Pourrais-tu laver la voiture?
6. Te serait-il possible de faire la vaisselle?
7. Si possible, pourriez-vous me faire un gâteau pour demain?
8. Pourriez-vous me dire où est la poste?
9. Ça t'ennuierait de tondre la pelouse?

Lisons

C (9 points: 3 points per item)
10. a
11. b
12. c

D (6 points: 2 points per item)
13. b
14. a
15. b

Culture

E (6 points: 1 point per item)
16. a
17. c
18. a
19. a
20. a
21. b

Vocabulaire

F (10 points: 2 points per item)
22. a
23. c
24. a
25. a
26. b

G (10 points: 1 point per item)
27. chanteuse, traductrice
28. supplémentaires
29. licencié
30. salaire
31. emploi
32. partiel
33. congés
34. chômage
35. secrétaire

Grammaire

H (10 points: 2 points per item)
36. Lucas s'habillera quand il se sera lavé.
37. Julien et Fabien partiront en vacances quand ils auront fini leurs cours.
38. Mes parents achèteront une maison quand ils auront gagné assez d'argent.
39. Je te répondrai quand j'aurai reçu ton e-mail.
40. Nous rendrons les livres au CDI quand nous les aurons lus.

I (10 points: 2 points per item)
41. traduit
42. conduisons
43. construite
44. produit
45. construisez

J (10 points: 2 points per item)
46. conduisant
47. changeantes
48. mangeant
49. sachant
50. ayant

Écrivons

K (10 points) Answers will vary. Sample answer:

Avant d'aller en vacances en France, je dois faire nettoyer mes vêtements et me faire couper les cheveux. Avant de partir je dois aussi faire vacciner mon chat parce qu'il vient avec moi!

Ah! Et je dois dire à maman d'arroser mes plantes et de nourrir mon poisson rouge.

L (10 points) Answers will vary. Sample answer:

Victor J'aimerais être pilote parce que j'adore voyager.

Marianne Je veux être médecin parce que j'aime soigner les gens.

Mathias Moi, je voudrais devenir architecte parce que j'aime dessiner des maisons.

Mélanie Moi, j'aime jouer du piano et je veux devenir musicienne.

Pauline Moi, je serai décoratrice comme ma mère.

Scripts: Quizzes

Application 1

A

Brigitte	Ça va, maman?
Maman	Oh, tu sais, j'ai toujours trop de choses à faire!
Brigitte	Ah bon? Qu'est-ce que tu dois faire?
Maman	Eh bien, je dois faire les courses, appeler le plombier, aller me faire couper les cheveux et préparer le plat favori de ton père parce qu'il rentre aujourd'hui. Il sera à l'aéroport à six heures!
Brigitte	Mais pourquoi tu dois appeler le plombier?
Maman	Pour faire réparer le robinet de la salle de bain. Écoute, ma chérie, ça ne t'ennuierait pas d'aller chercher papa à l'aéroport? Cela m'aiderait beaucoup, tu sais.
Brigitte	Oui, bien sûr!

Application 2

A
1. Pourriez-vous me renseigner? Je cherche la poste.

2. Donne-moi ton téléphone. Il faut que j'appelle ma copine.

3. Pourriez-vous arriver à 10 heures, demain matin?

4. Vous serait-il possible de me prêter votre calculatrice?

5. Je veux une pizza et une eau minérale.

Scripts: Examen

A 1. **Karine** Allô, oui?

Olivier Oui, bonsoir, ici Olivier Giono. Je suis bien chez Karine Beauvais?

Karine Oui, c'est moi, Olivier, ça va?

Olivier Non, on veut me faire travailler des heures supplémentaires la semaine prochaine et je ne peux pas!

Karine Désolée, Olivier, cette fois je ne peux pas t'aider.

2. **Julie** Oui, j'écoute.

Olivier Bonsoir Julie, ici Olivier.

Julie Un instant… arrête, Claudine. Oui?

Olivier Eh bien, voilà, pourrais-tu me prendre mes heures supplémentaires la semaine prochaine?

Julie Claudine, veux-tu t'arrêter! Écoute, Olivier, il faut que je sois à la maison quand ma fille rentre de l'école. Je suis désolée.

3. **Laure** Allô?

Olivier Est-ce que je pourrais parler à Laure, s'il vous plaît?

Laure C'est de la part de qui?

Olivier Olivier Giono.

Laure Ah, bonsoir, Olivier, c'est moi. Comment vas-tu?

Olivier Ça va, et toi?

Laure Super bien! Je pars en vacances demain!

4. **Rafaël** Allô, oui?

Olivier Salut Rafaël, c'est Olivier. Écoute, pourrais-tu prendre mes heures supplémentaires la semaine prochaine?

Rafaël Eh bien, pourquoi pas? C'est en travaillant qu'on gagne sa vie!

B 5. Je veux que tu laves la voiture.

6. Tu peux faire la vaisselle?

7. J'ai besoin d'un gâteau pour demain.

8. Où est la poste?

9. Tonds la pelouse.

Géoculture

A Identify the following countries on the map.

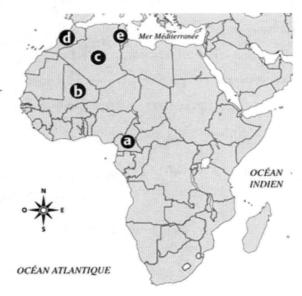

_____ 1. la Tunisie

_____ 2. le Maroc

_____ 3. le Cameroun

_____ 4. le Mali

_____ 5. l'Algérie

SCORE _____ /5

B Match the description on the left with the correct place on the right.

_____ 6. Ce paysage est plein de maisons souterraines.

_____ 7. Ici, deux cents sources produisent huit cents litres d'eau par seconde.

_____ 8. Ce désert couvre presque 90% du territoire algérien.

_____ 9. À la place Jemaa el Fna, on trouve un marché très animé.

_____ 10. C'est une chaîne de montagnes dans l'est du Maroc.

a. le Haut-Atlas
b. Marrakech
c. le Sahara
d. le parc national de Korup
e. l'oasis de Tozeur
f. Matmata

SCORE _____ /5

QUIZ: GÉOCULTURE   CHAPITRE **3**

C Decide if the following statements are **a) vrai** or **b) faux.**

_____ 11. L'invasion de Tombouctou a fait sa gloire.

_____ 12. Les Phéniciens ont fondé la ville de Carthage.

_____ 13. L'empire du Mali était très prospère à une époque.

_____ 14. Les Berbères ont converti les Arabes à l'islam.

_____ 15. Les accords d'Évian reconnaissent l'indépendance de l'Algérie.

SCORE	/10

D What ancient civilization or significant event is associated with each of these modern nations? You do not need to use complete sentences, but do include some detail.

16. La Tunisie

_____

17. L'Algérie

_____

18 Le Mali

_____

19. Le Cameroun

_____

20. Le Maroc

_____

SCORE	/10

TOTAL SCORE	/30

Vocabulaire 1

A Match these characters with a word from the second column.

_____ 1. un sultan

_____ 2. un sorcier

_____ 3. des animaux

_____ 4. un génie

_____ 5. un chevalier

a. une princesse en danger
b. un ogre
c. une lampe
d. une fable
e. un roi du Moyen-Orient
f. un magicien

SCORE _____ /5

B Underline the correct term to complete each sentence.

6. Le sorcier utilise une (potion / lampe) magique pour faire le mal.

7. Le roi et la reine habitent dans (une tour / un palais).

8. Les animaux parlent pour enseigner la (magie / morale).

9. Le (génie / vizir) accorde des souhaits au héros ou à l'héroïne.

10. Les (chevaliers / nains) combattent souvent des monstres.

SCORE _____ /5

C Complete the sentences with the words provided. Make the necessary changes.

épée	tapis	maléfique	calife	personnifié
nain	tour	formule	marraine	marâtre

11. Les _____ intriguent parfois contre le sultan.

12. Les marâtres, les ogres et les monstres sont des personnages _____.

13. Une _____ magique peut transformer les personnes et les objets.

14. Le chevalier est souvent armé d'une _____.

15. Seul un personnage ayant des pouvoirs magiques peut se déplacer sur un _____ volant.

16. Dans les fables, la nature est souvent _____.

17. Cendrillon avait une méchante _____, mais une gentille _____.

SCORE _____ /8

QUIZ: VOCABULAIRE 1   CHAPITRE **3**

D Use the images below to complete the sentences that tell four different stories. Be sure the verbs are in the appropriate tense.

18.

19.

20.

21.

18. Il était une fois une princesse _____

_____

19. Un chevalier _____

_____

20. On raconte qu'autrefois, _____

_____

21. Il y a bien longtemps, _____

_____

SCORE	/12

TOTAL SCORE	/30

Grammaire 1

A Read these sentences written by a traveler from the turn of the century and in each sentence, underline the verb in the **passé simple.**

1. Il y a bien longtemps, j'(allai / allez) au Moyen-Orient pour collectionner de vieux livres de contes.

2. En arrivant, je me (rendis / rendit) compte que j'avais perdu mes chèques de voyage.

3. Je (passer / passai) trois heures à les chercher partout.

4. À la fin, je les (trouvais / trouvai) dans une de mes chaussures.

5. Je (devoir / dus) croire que c'était une bonne idée…!

SCORE _____ /5

B Complete the conversation between a princess and a fairy with **dont, ce dont, que/qu', ce que/qu', qui** or **ce qui**.

La princesse (6) _____ je trouve pénible, c'est que le prince vienne jusqu'à la tour, mais ne me délivre pas.

La fée (7) _____ veux-tu? Ce n'est même pas un vrai prince, mais un pauvre chevalier.

La princesse Tu sais (8) _____ j'ai envie? De ne plus attendre et de me délivrer moi-même!

La fée Attends, je sais (9) _____ il te faut: un tapis volant!

La princesse Mais oui! (10) _____ est important, c'est de pouvoir sortir de cette tour!

SCORE _____ /10

QUIZ: GRAMMAIRE 1   CHAPITRE **3**

C Rewrite these sentences from the story of Cinderella, using the **passé composé** to replace the underlined **passé simple** verbs.

11. Il était une fois un souverain qui <u>se remaria</u> à une femme méchante.

    _____

12. Après le mariage, la belle-mère <u>montra</u> son mauvais caractère.

    _____

13. Elle <u>commença</u> à détester Cendrillon.

    _____

14. Elle lui <u>donna</u> toutes les corvées de la maison.

    _____

15. Cendrillon <u>fit</u> toujours tout ce qu'on lui demandait.

    _____

                                              SCORE _____ /10

D Your penpal from Mali, Aïcha, has a lot of questions about you. Answer her questions using **ce que, ce qui** or **ce dont.**

16. Qu'est-ce que tu aimes dans les fables ou les contes?

    _____

17. Qu'est-ce qui arrive en général à la fin d'un conte?

    _____

18. De quoi une princesse prisonnière aurait-elle besoin?

    _____

19. Qu'est-ce que les lampes magiques font apparaître?

    _____

20. De quoi parlez-vous entre copains?

    _____

                                              SCORE _____ /10

                                              TOTAL
                                              SCORE _____ /35

Application 1

Écoutons

A Listen to this legend, then indicate whether the following statements are **a) vrai** or **b) faux.**

_____ 1. Le chevalier n'a pas d'argent.

_____ 2. Son épée n'est pas propre.

_____ 3. Merlin est un bon magicien.

_____ 4. Merlin lui donnera une potion la veille de son départ.

_____ 5. C'est une vieille légende.

SCORE _____ /10

Lisons

B Read this story and indicate whether the following statements are **a) vrai** or **b) faux.**

Une jeune fille vivait avec ses parents dans une petite maison au milieu de la forêt. Elle allait souvent à la rivière pour prendre de l'eau. Un jour, à son retour, elle vit un lion. Celui-ci lui offrit gentiment son aide. Mais la jeune fille lui répondit d'une manière très impolie *(impolite)* qu'elle ne voulait pas de son aide. Arrivée chez elle, elle raconta tout à ses parents. Ils lui expliquèrent que l'on ne parle pas ainsi, surtout à un animal aussi important que le lion. Elle ajouta que c'était parce que le lion avait une mauvaise odeur *(smell)* qu'elle n'avait pas voulu de son aide. Le lion qui était tout près de la maison, entendit tout… ce que dit la jeune fille le rendit triste… Il s'en alla. Quelques jours plus tard, alors qu'elle revenait de la rivière, elle vit le lion sur son chemin, il l'attendait. «Tu te rappelles le jour où tu n'as pas voulu de mon aide parce que j'avais une mauvaise odeur, disais-tu?». «Ô lion, pardonne-moi, je ne te dirai plus jamais de telles choses», lui dit la jeune fille. – «C'est trop tard maintenant.», lui répondit-il. Et il la mangea.

_____ 6. Au début du conte, le lion mange la jeune fille.

_____ 7. La jeune fille n'a pas voulu de l'aide du lion parce qu'elle avait peur.

_____ 8. Le lion a entendu ce que la jeune fille a dit à ses parents.

_____ 9. Quand elle a revu le lion, elle est partie en courant.

_____ 10. À la fin du conte, le lion mange la jeune fille.

SCORE _____ /10

QUIZ: APPLICATION 1   CHAPITRE **3**

Écrivons

C Make up your own fable or fairy tale. Begin and end it however you like, but be sure to include three or more of the following expressions: **il était une fois, le lendemain, plus tard, le temps passa et, on raconte qu'autrefois, la veille de,** etc.

_____

_____

_____

_____

_____

_____

_____

_____

_____

_____

_____

_____

SCORE	/15

TOTAL SCORE	/35

Vocabulaire 2

A Look at these images and match them with the sentences below.

a.   b.   c.   d.

_____ 1. Beaucoup de soldats ont combattu pendant cette bataille.

_____ 2. On a rapporté qu'il y avait de nombreuses victimes.

_____ 3. Les soldats cherchaient des ennemis parmi le peuple.

_____ 4. Finalement, le roi a signé un cessez-le-feu.

_____ 5. On a dû montrer le drapeau blanc pour arrêter les combats

SCORE _____ /5

B Put these sentences in the right order starting with **a** for the earliest event and ending with **e** for the most recent.

_____ 6. Par la suite, les Marocains ont voulu leur indépendance.

_____ 7. Avant d'être un protectorat français, le Maroc était un royaume depuis des siècles.

_____ 8. Après son retour au Maroc, Mohammed V est devenu roi.

_____ 9. Maintenant, le Maroc est toujours une monarchie.

_____ 10. Une fois que le Maroc a obtenu son indépendance en 1956, le sultan Mohammed V est rentré dans son pays.

SCORE _____ /10

QUIZ: VOCABULAIRE 2   CHAPITRE **3**

C Complete the sentences using the words in the box below.

coup d'état	monarchie	paix	drapeau
élire	colonie	traité	république

11. Souvent, la _____ n'arrive qu'après de longues années de guerre.

12. Au moment d'un _____, l'ancien souverain doit disparaître.

13. Parfois, après une guerre d'indépendance, la _____ se rétablit.

14. Quand un peuple peut _____ son président, c'est bien, mais ce n'est pas la fin de ses problèmes.

15. Un colon est une personne habitant une _____.

16. La France aura peut-être un jour une femme comme président de la _____!

17. Bleu, blanc, rouge, ce sont les trois couleurs du _____ français.

SCORE   /7

D Use the words in the box below to write a news brief. Write at least four sentences, using each expression once.

il paraît que	a déclaré que	a annoncé que	a rapporté que

_____

_____

_____

_____

_____

_____

_____

SCORE   /8

TOTAL
SCORE   /30

Grammaire 2

A In each sentence, underline the correct form of the verb.

1. Le roi (n'avait pas signé / n'aurait pas signé) le cessez-le-feu quand la bataille a eu lieu.

2. Le conflit (était terminé / avait terminé) quand l'Algérie est devenue une république.

3. La conquête de l'Algérie (avait commencé / avais commencé) bien avant 1874.

4. Les ennemis (avaient gagné / avaient gagnés) plusieurs batailles quand les pays colonisés sont venus combattre à leurs côtés.

5. Les combats (avaient fait / étaient faits) beaucoup de victimes.

SCORE   /5

B Complete the sentences using the **plus-que-parfait** of the verbs in parentheses.

6. Quand mon mari m'a téléphoné de son bureau, j'_____. (sortir)

7. Ce soir-là, il m'a annoncé que son directeur _____ à l'étranger. (partir)

8. En fait, le directeur et sa femme _____ au Maroc. (déménager)

9. Il paraît qu'ils _____ du travail là-bas. (trouver)

10. Tout le monde se demandait comment nous _____ ce qu'il allait faire. (ne pas comprendre)

SCORE   /10

C Read these sentences, and then rewrite them using indirect discourse.

11. Adrien: «Je t'appellerai ce soir.»

Adrien dit que/qu' _____

12. Miriam: «Nous ne partirons pas sans nos passeports.»

Miriam a dit que/qu' _____

13. Hugues: «Mon père ne me donnera pas les clés de la voiture.»

Hugues dit que/qu'_____

14. Viviane: «Ma mère doit me conduire chez le docteur.»

Viviane a dit que _____

15. Xavier: «Le professeur d'anglais sort avec la prof d'espagnol!»

Xavier a annoncé que_____

SCORE /10

D One of the students in your French class, Martin, is sick today. After school, you visit him at home and tell him what your teacher, madame Sareau, said during class. Use indirect discourse to rewrite the sentences.

16. Vous n'aurez pas de devoirs la semaine prochaine.

_____

17. Demain, il y aura une interrogation de maths.

_____

18. Vous devez étudier les verbes irréguliers pour l'examen de français.

_____

19. Tout le monde a réussi la dernière expérience de chimie.

_____

20. Il faut dire tout cela à Martin.

_____

SCORE /10

TOTAL
SCORE /35

Application 2

Écoutons

A Djilali has an internship at the **Institut du monde arabe** in Paris. He is too busy to write, so instead, he's sending audio files to his brother in Algiers. Listen to his message, and then decide whether the following statements are **a) vrai** or **b) faux.**

_____ 1. Djilali est allé à la poste après avoir fait sa cassette audio.

_____ 2. Il a fait les magasins après être rentré.

_____ 3. On a visité le Louvre après avoir mangé au restaurant.

_____ 4. Il a commencé à travailler après être arrivé à Paris.

_____ 5. Il retournera au Louvre après y être déjà allé une fois.

SCORE ____ /10

Lisons

B Read this article on the Berbers, and then complete the sentences below.

Les **Berbères** sont composés de différents groupes ethniques. Ils vivent en Afrique du Nord depuis 3.000 ans. Ils sont présents en Algérie, au Maroc, en Tunisie, en Libye, en Égypte, au Sénégal, etc. La langue berbère (*tamazight*) est vieille comme la culture. Traditionnellement, les hommes s'occupent des animaux, et les femmes font des objets qu'elles utilisent dans la vie quotidienne ou qu'elles vendent au marché. Les Berbères en général ne sont pas nomades, mais il y a un groupe berbère nomade qui s'appelle les Touaregs.

_____ 6. Certains Berbères sont présents en...
a. Europe.   b. Afrique.   c. Océanie.

_____ 7. Les nomades berbères s'appellent des...
a. Tamazight.   b. Tunisiens.   c. Touaregs.

_____ 8. Les femmes vont au marché pour vendre des...
a. animaux.   b. objets traditionnels.   c. nomades.

_____ 9. Un nomade est une personne qui...
a. vit dans un village.   b. vit en bateau.   c. se déplace.

_____ 10. Le peuple berbère comprend...
a. différents groupes.   b. un seul groupe.   c. aucun groupe.

SCORE ____ /10

Écrivons

C You're reading a letter aloud to your friends. It's from your penpal Aline who is visiting Morocco. Tell your friends what she says about her trip. Be sure to use indirect discourse to share at least five activities or things Aline tells you. You can use the words in the box and any others to help you describe the trip.

médina	**souk**	**se promener**	**visiter**
avant de	**après**	**une fois que**	**faire des photos**

_____

_____

_____

_____

_____

_____

_____

_____

_____

_____

SCORE	/15

TOTAL SCORE	/35

Lecture

CHAPITRE **3**

QUIZ

A Read the article **Algérie: Post-indépendance** and put the events in chronological order from **a** for the earliest event to **e** for the most recent.

L'Algérie a obtenu son indépendance après une guerre longue et coûteuse contre la présence française. Cette présence a duré cent trente-deux ans et s'est terminée officiellement le 5 juillet 1962. Cette indépendance très populaire a été obtenue politiquement par les accords d'Évian. Peu après l'indépendance, l'Algérie est devenue une république et Ahmed Ben Bella est devenu président. Quelques années plus tard, il y a eu un coup d'état et Houari Boumédiène l'a remplacé.

_____ 1. Ben Bella

_____ 2. le coup d'état

_____ 3. la guerre contre la France

_____ 4. la présence française

_____ 5. les accords d'Évian

| SCORE | /10 |

B Choose the best ending for each sentence.

_____ 6. Pour obtenir son indépendance, l'Algérie a dû...
   a. faire la guerre.   b. devenir une république. c. être un protectorat.

_____ 7. Les accords d'Évian ont _____ la fin de la présence française.
   a. déclaré   b. commencé   c. remplacé

_____ 8. Ben Bella était un...
   a. roi.   b. président.   c. sultan.

_____ 9. La France a occupé l'Algérie pendant...
   a. 123 ans.   b. 130 ans.   c. 132 ans.

_____ 10. Aujourd'hui, l'Algérie est une...
   a. monarchie.   b. colonie.   c. république.

| SCORE | /10 |

C Choisis un pays francophone d'Afrique du Nord et décris comment ce pays a obtenu son indépendance.

_____

_____

| SCORE | /15 |

| TOTAL SCORE | /35 |

Écriture

A Your friend Armand is full of questions about your recent trip to Algeria, Morocco and Tunisia. Read his e-mail and respond. In your response, tell about at least five different things.

Salut! Comment ça va? Es-tu déjà rentré? Dis-moi où tu es allé, ce que tu as fait, et ce que tu as pensé du pays, des gens, de la musique… Bref, raconte!

— Armand

_____

_____

_____

_____

_____

_____

_____

_____

SCORE	/15

B Your brother/sister is four years older than you. Write about four things he/she had already done by the time you first did them, using the **plus-que-parfait**.

_____

_____

_____

_____

_____

_____

SCORE	/20

TOTAL SCORE	/35

Il était une fois...

Écoutons

A Listen to the story and then choose the best ending for each statement.

_____ 1. La reine amène son propre...
    a. vizir.   b. génie.   c. calife.

_____ 2. La reine et le vizir intriguent contre...
    a. le roi.   b. le peuple.   c. la princesse.

_____ 3. Le roi croit que la princesse...
    a. est malade.   b. a disparu.   c. est en danger.

_____ 4. Cependant, le peuple n'aime pas...
    a. le roi.   b. la reine.   c. la princesse.

_____ 5. À la fin, la princesse...
    a. est partie.   b. remercie son père.   c. fait la fête.

SCORE	/5

B Listen to the conversation and then indicate whether each statement is **a) vrai** or **b) faux.**

_____ 6. Olivier était allé chez ses parents quand le vélo a disparu.

_____ 7. Il avait laissé sa clé sur la table de la cuisine avant de partir.

_____ 8. Guy pense avoir vu le vélo en sortant samedi, mais par la suite, le vélo n'était plus là.

_____ 9. Thierry est rentré chez lui dimanche après-midi.

_____ 10. Olivier pense que c'est peut-être Thierry qui a emprunté son vélo.

SCORE	/10

EXAMEN   CHAPITRE **3**

Lisons

C Read the following story, and then answer the questions in complete sentences.

Le poisson et le pélican

Jadis, un pélican vivait heureux. Il mangeait des poissons tous les jours, autant qu'il en voulait, car les hommes ne savaient pas encore en attraper.

Un jour, il vit un joli gros poisson qui nageait mal. Tout de suite, le pélican descendit pour le voir de plus près. «Quel gros poisson», se dit-il. «Une fois que je l'aurai mangé, je n'aurai plus faim du tout. Mais pourquoi nage-t-il si mal? Est-il malade?» Le pélican, ne voulant pas manger un poisson malade, demanda au poisson. «Bonjour, joli poisson, comment te sens-tu aujourd'hui?» Le poisson répondit, «Comme tu vois, je ne suis pas en forme, Pélican. Les autres poissons sont partis et je suis tout seul. Veux-tu m'aider et me porter là où ils sont partis?» Le pélican, ne voulant pas prendre un poisson malade dans sa bouche, répondit. «Je ne peux pas. Je dois aller chercher quelque chose à manger.» Mais le poisson insista, «Pélican, ne me laisse pas tout seul, toi aussi!»

«Désolé, mon vieux, je m'en vais.» répondit le pélican et il partit.

Une fois qu'il ne vit plus le pélican, le poisson commença à nager le plus vite possible, plus vite que tous les autres poissons de la mer.

11. Qu'est-ce que le pélican voudrait faire?

_____

12. Comment est-ce que le poisson nage?

_____

13. Qu'est-ce que le poisson demande au pélican?

_____

14. Qu'est-ce que le poisson fait quand le pélican est parti?

_____

15. Quelle est la morale de ce conte?

_____

SCORE _____ /10

D Read this news item, and then, decide whether the statements are **a) vrai** or **b) faux.**

La princesse a rendu visite aux soldats qui revenaient de la guerre. Il paraît que pendant cette visite, un soldat a donné un paquet à la princesse. Quand elle a vu la bague qui était dans le paquet, elle est devenue toute rouge. C'était une bague qu'elle avait donné il y a bien longtemps à l'homme qu'elle aimait. Le soldat lui a expliqué que c'était quelqu'un qui combattait à ses côtés qui lui avait donné cela et lui avait demandé de porter le paquet au palais où la princesse vivait. Maintenant, elle savait que le soldat qu'elle aimait pensait toujours à elle...

_____ 16. La princesse a rendu visite aux blessés.

_____ 17. Un soldat lui a donné une lettre.

_____ 18. C'était une personne qui avait combattu à ses côtés qui lui avait donné cela.

_____ 19. Cette personne lui avait demandé de donner cela à la princesse.

_____ 20. La princesse savait que l'homme qu'elle aimait ne l'avait pas oubliée.

SCORE   /10

Culture

E Choose the best answer.

_____ 21. Le marché au Maroc s'appelle...
a. un souk.   b. un griot.   c. une médina.

_____ 22. Les chanteurs traditionnels sont des…
a. rois.   b. griots.   c. sultans.

_____ 23. On appelle les Français ayant vécu en Algérie des…
a. Berbères.   b. marchands.   c. pieds-noirs.

_____ 24. Samuel Beckett était un écrivain…
a. anglais.   b. irlandais.   c. français.

_____ 25. Il écrivait ses pièces de théâtre en…
a. anglais.   b. français.   c. anglais et français.

SCORE   /5

Vocabulaire

F You and your friends are discussing politics. Using the words from the boxes below, complete the following sentences.

drapeau	coup d'état	signer
conduite	combattre	but

26. À mon avis, la _____ de l'empereur n'est pas sérieuse.

27. Je trouve qu'il devrait _____ un cessez-le-feu maintenant!

28. Moi, je pense qu'il a raison de _____ l'ennemi!

29. Je ne sais pas s'il va arriver à son _____.

30. Ce que j'aimerais bien voir, moi, c'est un _____!

SCORE _____ /10

G Match an expression with each event to complete the following paragraph.

(31)_____ ma naissance, la guerre a éclaté dans le pays. (32)_____ rentrer de l'hôpital, mon père a appelé mon oncle pour nous conduire à la maison. (33)_____ nous étions chez nous, il a fermé toutes les fenêtres. Quelques semaines (34)_____ notre retour, les choses ont commencé à être plus calmes. (35)_____, on pouvait même sortir un peu.

a. Par la suite
b. Jadis
c. Avant de
d. Après
e. Une fois que
f. Au moment de

SCORE _____ /10

Grammaire

H Change the verbs in parentheses to the **plus-que-parfait**.

36. Si j'_____ que tu ne venais pas me chercher avant la nuit, je n'aurais pas attendu. (savoir)

37. Tu sais bien que si je n'_____ je serais arrivé à l'heure. (tomber)

38. J'_____ de partir, quand j'ai vu Saïd passer devant le souk. (décider)

39. Alors tu _____ avec lui quand je suis arrivé? (partir)

40. Oui, on se disait bien qu'il t'_____ quelque chose! (arriver)

> SCORE   /5

I Read this passage, and put the underlined verb phrases in the **passé composé.**

À la fin de la guerre, un jeune sultan, venu de loin, (41) prit le pouvoir. Mais le peuple ne l'aimait pas. Un jour, il (42) invita tout son peuple au palais. Malgré eux, ils (43) vinrent de partout. Ils (44) furent surpris d'être gentiment reçus. Bientôt, le sultan (45) arriva et (46) fit apporter à boire. Ensuite, la musique (47) commença, et tout le monde (48) dansa. Les riches (49) dansèrent avec les pauvres et les vieux avec les jeunes. Vers minuit, les musiciens (50) s'arrêtèrent enfin, et le roi (51) invita tout le monde à table. On (52) mangea et (53) on but jusqu'au petit matin. Par la suite, personne ne (54) dit plus jamais de mal du sultan, et le pays (55) connût la paix.

41. _____

42. _____

43. _____

44. _____

45. _____

46. _____

47. _____

48. _____

49. _____

50. _____

51. _____

52. _____

53. _____

54. _____

55. _____

> SCORE   /15

EXAMEN
CHAPITRE **3**

Écrivons

J Read this news item and then rewrite it below, using **indirect discourse** and the correct verb tenses.

On vient d'arrêter quatre jeunes Espagnols qui essayaient de prendre le bateau pour aller au Maroc sans avoir acheté de billets. Ils disent qu'ils ont perdu leurs billets mais comme ils n'ont pas de passeport non plus, tout le monde pense qu'ils voulaient passer des vacances à l'étranger sans devoir payer!

L'article disait que _____

_____

_____

_____

_____

_____

_____

SCORE ___ /10

K Write a short letter to your Senegalese penpal, Keita, about what you like and don't like in your own culture or country. Write at least five sentences using **ce qui, ce que** and **ce dont** at least once.

_____

_____

_____

_____

_____

_____

SCORE ___ /10

TOTAL SCORE ___ /100

Answer Key

Vocabulaire 1

A (5 points: 1 point per item)
1. e   4. c
2. f   5. a
3. d

B (5 points: 1 point per item)
6. potion   9. génie
7. un palais   10. chevaliers
8. morale

C (8 points: 1 point per item)
11. califes   15. tapis
12. maléfiques   16. personnifiée
13. formule   17. marâtre, marraine
14. épée

D (12 points: 3 points per item)
Answers will vary. Possible answers:
18. qui était prisonnière dans une tour.
19. est arrivé pour sauver la princesse.
20. un sorcier a transformé une grenouille en prince.
21. un génie a offert un tapis volant au sultan.

Grammaire 1

A (5 points: 1 point per item)
1. allai   4. trouvai
2. rendis   5. dus
3. passai

B (10 points: 2 points per item)
6. Ce que   9. ce qu'
7. Que   10. Ce qui
8. ce dont

C (10 points: 2 points per item)
11. Il était une fois un souverain qui s'est remarié à une femme méchante.
12. Après le mariage, la belle-mère a montré son mauvais caractère.
13. Elle a commencé à détester Cendrillon.
14. Elle lui a donné toutes les corvées de la maison.
15. Cendrillon a toujours fait tout ce qu'on lui demandait.

D (10 points: 2 points per item)
Answers will vary. Possible answers.
16. Ce que j'aime dans les fables, c'est que les animaux parlent.
17. Ce qui arrive à la fin d'un conte, c'est que le chevalier délivre la princesse.
18. Ce dont elle aurait besoin, c'est d'un prince pour la délivrer!
19. Ce que les lampes magiques font apparaître ce sont des génies.
20. Je ne te dirai pas ce dont on parle entre copains!

Application 1

A (10 points: 2 points per item)
1. b   4. a
2. b   5. a
3. a

B (10 points: 2 points per item)
6. b   9. b
7. b   10. a
8. a

C (15 points) Answers will vary. Possible answers.

Il était une fois une grenouille qui voulait devenir prince. Elle est allée voir un magicien qui lui a accordé son souhait et l'a transformée en un jeune prince. Plus tard, le roi a demandé au prince d'aller sauver sa fille qui était en danger parce qu'un monstre voulait la manger. Le prince avait très peur d'aller sauver la princesse et la veille de son départ, le prince est retourné voir le magicien pour lui demander de le transformer en grenouille.

Answer Key

Vocabulaire 2

A (5 points: 1 point per item)

1. c
2. c
3. a
4. d
5. b

B (10 points: 2 points per item)

6. b
7. a
8. d
9. e
10. c

C (7 points: 1 point per item)

11. paix
12. coup d'état
13. monarchie
14. élire
15. colonie
16. république
17. drapeau

D (8 points: 2 points per item) Answers may vary. Possible answers.

Il paraît que le souverain a signé un traité de paix avec l'ennemi. On a aussi annoncé qu'il allait lui rendre visite pour montrer que les deux pays sont maintenant en paix. Etc.

Grammaire 2

A (5 points: 1 point per item)

1. n'avait pas signé
2. était terminé
3. avait commencé
4. avaient gagné
5. avaient fait

B (10 points: 2 points per item)

6. étais sortie
7. était parti
8. avaient déménagé
9. avaient trouvé
10. n'avions pas compris

C (10 points: 2 points per item)

11. il t'appellera ce soir.
12. nous ne partirions pas sans nos passeports.
13. son père ne lui donnerait pas les clés de la voiture.
14. sa mère devait la conduire chez le docteur.
15. le professeur d'anglais sortait avec la prof d'espagnol.

D (10 points: 2 points per item)

Answers will vary. Possible answers:

16. Madame Sareau a dit que nous n'aurions pas de devoirs la semaine prochaine.
17. Elle a aussi dit qu'il y aurait une interrogation de maths demain.
18. Elle a dit que nous devions étudier les verbes irréguliers pour l'examen de français.
19. Elle a dit que tout le monde avait réussi la dernière expérience de chimie.
20. Elle a dit qu'il fallait te dire tout cela.

Application 2

A (10 points: 2 points per item)

1. a
2. b
3. b
4. a
5. a

B (10 points: 2 points per item)

6. b
7. c
8. b
9. c
10. a

C (15 points) Answers will vary. Sample answers.

Aline dit que le Maroc est un pays magnifique et qu'elle a été se promener dans la médina. Elle dit qu'avant, elle était déjà allée au Maroc quand elle était petite mais qu'elle avait préféré ce voyage-ci. Etc.

Answer Key

GÉOCULTURE / LECTURE / ÉCRITURE QUIZZES

Géoculture

A (5 points: 1 point per item)
1. e
2. d
3. a
4. b
5. c

B (5 points: 1 point per item)
6. f
7. e
8. c
9. b
10. a

C (10 points: 2 poins per item)
11. b
12. a
13. a
14. b
15. a

D (10 points: 2 points per item) Answers will vary. Possible answers:

16. la ville/l'empire de Carthage
17. les pirates/l'occupation française
18. Tombouctou/empire prospère
19. la division entre l'Angleterre et la France
20. l'invasion du Mali

Lecture

A (10 points: 2 points per item)
1. d
2. e
3. b
4. a
5. c

B (10 points: 2 points per item)
6. a
7. a
8. b
9. c
10. c

C (15 points) Answers will vary. Sample answer:

Le Maroc a pu obtenir son autonomie de la France pacifiquement. Par la suite, c'est devenu une monarchie.

Écriture

A (15 points) Answer will vary. Sample answer.

J'ai passé des vacances super! Avant de partir, j'avais lu beaucoup de livres sur l'Algérie, mais c'est encore mieux que tout ce que j'ai vu dans ces livres! Etc.

B (20 points) Answer will vary. Sample answer.

J'ai seize ans et j'apprends à conduire! Quand il avait seize ans, mon frère avait déjà appris à conduire parce qu'à cette époque on vivait à la campagne et il conduisait la voiture de mes parents dans les chemins de campagne!

Answer Key

Écoutons

A (5 points: 1 point per item)

1. a
2. c
3. c
4. b
5. a

B (10 points: 2 points per item)

6. a
7. b
8. a
9. a
10. b

Lisons

C (10 points: 2 points per item) Answers will vary. Possible answer:

11. Le pélican voudrait manger le poisson.
12. Il nage mal.
13. Le poisson lui demande de le porter là où les autres poissons sont partis.
14. Il nage plus vite que tous les autres poissons.
15. Il ne faut pas croire tout ce que les gens disent.

D (10 points: 2 points per item)

16. b
17. b
18. a
19. a
20. b

Culture

E (5 points: 1 point per item)

21. a
22. b
23. c
24. b
25. c

Vocabulaire

F (10 points: 2 points per item)

26. conduite
27. signer
28. combattre
29. but
30. coup d'état

G (10 points: 2 points per item)

31. f
32. c/f
33. e
34. d
35. a/c

Grammaire

H (5 points: 1 point per item)

36. avais su
37. étais pas tombé
38. avais décidé
39. étais parti(e)
40. était arrivé

I (15 points: 1 point per item)

41. a pris
42. a invité
43. sont venus
44. ont été
45. est arrivé
46. a fait
47. a commencé
48. a dansé
49. ont dansé
50. se sont arrêtés
51. a invité
52. a mangé
53. a bu
54. a dit
55. a connu

Answer Key

Écrivons

J (10 points)

Answers will vary. Possible answer:

L'article disait qu'on venait d'arrêter quatre jeunes Espagnols qui essayaient de prendre le bateau pour aller au Maroc sans avoir acheté de billets. Ils ont dit qu'ils avaient perdu leurs billets mais comme ils n'avaient pas de passeport non plus, tout le monde a pensé qu'ils avaient voulu passer des vacances à l'étranger sans devoir payer!

K (10 points)

Answers will vary. Sample answer.

Ce que j'aime dans mon pays, c'est qu'il y a des gens du monde entier qui viennent vivre ici. Mais ce qui se passe aussi parfois, c'est que tous ces gens ne se comprennent pas toujours. Etc.

Scripts: Quizzes

Application 1

A Une légende ancienne raconte qu'un jour un roi a demandé à un de ses chevaliers d'aller sauver sa fille, la princesse Éléonore qui était prisonnière d'un mauvais génie. Le pauvre chevalier ne savait pas comment faire pour combattre le génie mais il devait faire ce que le roi lui demandait… Alors, il est allé voir Merlin…

Le chevalier	Merlin, je ne peux pas aller sauver la princesse.
Merlin	Et pourquoi pas, mon brave chevalier?
Le chevalier	Parce que j'ai mal au dos. Je ne peux pas monter à cheval, je ne peux même pas tenir ma propre épée et je ne peux pas non plus monter dans une tour pour délivrer la princesse.
Merlin	Mon fils, j'ai une ou deux potions pour soigner le dos, que je te donnerai la dernière nuit, juste avant ton départ. Tu dormiras bien et quand tu te réveilleras, tu te sentiras beaucoup mieux.
Le chevalier	Je sais que tu es un grand magicien, mais si ça ne marche pas?
Merlin	Crois-moi, ça marchera.

Application 2

A Bonjour Azzedine! C'est Djil. Tu as déjà fait tes devoirs? Papa se repose un peu? …Écoute, ma première semaine à Paris a été géniale. À l'Institut du monde arabe, il y a un musée, une bibliothèque, des spectacles, des films, bref…je n'arrête pas. Mais il faut sortir de temps en temps. Alors jeudi, avec des copains, on a fait une visite guidée du musée du Louvre. Moi, j'ai surtout aimé les objets d'art égyptien. Il y avait vraiment trop de choses à voir, il faudra que j'y retourne bientôt. Après, nous avons mangé au restaurant. Moi, j'avais tellement faim que j'ai pris un steak-frites. Très français, tu sais. Ah, et le soir, en rentrant, j'ai fait les magasins, et j'ai trouvé une BD géniale. Au fait, j'ai acheté quelque chose pour toi, que je vais t'envoyer bientôt. Allez, salut Azzedine, tu embrasses maman pour moi, d'accord?

Examen

A Il était une fois une princesse belle et intelligente que le peuple adorait. Son père, le roi, cherchait une reine parce que sa femme était morte il y a bien longtemps. Un jour, le roi annonça qu'il allait se remarier avec une reine d'un pays lointain. La reine est arrivée au royaume avec son vizir. La princesse voulait faire sa connaissance. Quand la reine vit la princesse, elle dit au vizir, «Jamais le peuple ne m'aimera autant que cette fille». Le vizir répondit: «Alors, faisons-la disparaître. Dites au roi qu'elle est en danger ici». Et la reine dit au roi, «Mon vizir me dit que votre fille est en danger si elle reste au palais. Il faudrait qu'on la conduise dans une tour et qu'on dise au peuple qu'elle a disparu». Le roi pensant que sa fille était vraiment en danger, accepta. Alors on conduisit la princesse dans une tour. Le temps passa, mais le peuple n'aima jamais la reine, et après quelques années malheureuses, le roi la renvoya dans son pays. Alors, il alla dans la tour pour délivrer la princesse. Elle ne dit pas un mot au roi. Le roi ne comprit pas. Il lui demanda, «N'es-tu pas heureuse d'être libre?» Elle répondit, «Si, mais jamais je ne pourrai oublier que c'est mon père qui m'envoya dans cette tour.» Et elle partit du royaume pour toujours.

B

Olivier C'est pas possible! Ce week-end, je vais chez des copains pour préparer mes examens et quelqu'un a pris mon vélo.

Guy Comment ça? Mais maman et moi, nous sommes restés à la maison tout le week-end!

Olivier J'avais laissé la clé sur ma commode avant de partir et elle n'est plus là... Et toi, Marie-Laure, tu n'as rien vu, rien entendu?

Marie-Laure Mais non, je suis allée camper avec Juliette ce week-end. Mais, attends, je pense l'avoir vu samedi, avant de partir. Mais ce dont je suis certaine, c'est qu'il n'était pas là dimanche soir quand je suis rentrée.

Olivier Au fait, Guy, ton copain Thierry allait passer le week-end ici, non?

Guy Thierry? Oui, il est rentré chez lui dimanche après-midi.

Olivier Je pense qu'on devrait aller lui parler, non...?

Vocabulaire 1

A Underline the correct word in each sentence.

1. Figure-toi qu'Issaka n'est pas venue me (retrouver / regretter) hier soir.

2. C'est pas vrai! Tu dois être (quitté / fâché).

3. Eh bien, je suis (déçu / ensemble), je peux le dire.

4. (Si j'avais été toi / À ma place), je l'aurais appelée tout de suite.

5. Surtout pas! Je ne vais pas lui (échanger / téléphoner) le premier.

SCORE _____ /5

B Complete the sentences with the words below. Use each word only once.

réconciliés	téléphoné	disputés	parlé	fâchée
se retrouver	regretté	mauvaise humeur	revu	donné

Hier, Ginette et Paul étaient de (6)_____. Ils se sont

(7)_____, et Ginette est partie

(8)_____.

Après quelques jours, ils ont (9)_____ leur dispute.

Ils se sont (10)_____, se sont longtemps

(11)_____ et finalement ils se sont

(12)_____.

Alors, ils se sont (13)_____ rendez-vous.

Ils étaient très heureux de (14)_____.

SCORE _____ /9

C Describe how someone saying each statement below may feel using one of the words on the right.

_____ 15. Mamadou n'est pas rentré hier soir.

_____ 16. C'est le coup de foudre!

_____ 17. Tu es vraiment méchant!

_____ 18. Elle m'a quitté.

a. amoureux
b. fâché
c. inquiet
d. triste
e. content

SCORE _____ /4

D Your friend Fatima loves to gossip. Respond appropriately to her questions.

19. Devine qui j'ai rencontré hier!

_____

20. Max! Oui, Max, tu as bien entendu! Tu savais qu'il sort avec Laure?

_____

21. J'ai entendu dire qu'elle est très amoureuse de lui!

_____

22. À ton avis, est-ce que Max est amoureux de Laure?

_____

SCORE _____ /12

TOTAL
SCORE _____ /30

Grammaire 1

A Decide whether or not the **past participle** should agree with the subject. Add agreement if it is necessary.

1. Hier soir, j'ai téléphoné_____ à ma sœur, Louise.

2. Comme toujours, nous avons parlé_____ de son amie Leïla.

3. Leïla et elle s'étaient encore une fois disputé_____!

4. Ma sœur et moi, nous avons revu_____ Leïla au centre commercial cet après-midi.

5. Et Louise et elle se sont réconcilié_____!

SCORE ____ /5

B Now, Rémy and Nadjela are in love! Write a sentence about how they arrived at this stage in their relationship using the phrases below. Be sure to use the **past tense**.

6. se rencontrer à une fête

   _____

7. se parler toute la soirée

   _____

8. échanger leur adresse e-mail

   _____

9. se revoir la semaine suivante

   _____

10. depuis, ne plus se quitter

    _____

SCORE ____ /10

QUIZ: GRAMMAIRE 1   CHAPITRE 4

C Provide the correct form of the verb in parentheses.

11. Si tu étais arrivé à l'heure, nous _____ le spectacle. (ne pas manquer)

12. Je _____ en retard si Thibault ne m'avait pas appelé. (ne pas être)

13. Il _____ s'il avait pensé que tu serais en retard. (ne pas téléphoner)

14. Si j'avais su que c'était lui, je _____. (ne pas répondre).

15. Et nous _____ à l'heure au spectacle! (arriver)

SCORE _____ /10

D Finish these statements using your imagination and a verb in the **past conditional** tense.

16. Si j'avais été à la fête de Marc, _____

_____

17. Si la fête n'avait pas été si ennuyeuse, _____

_____

18. Si Pauline m'avait invité ce soir-là, _____

_____

19. S'ils avaient su ce qui nous était arrivé, _____

_____

20. Si vous m'aviez demandé mon adresse e-mail, _____

_____

SCORE _____ /10

TOTAL SCORE _____ /35

Application 1

Écoutons

A Imane and Karim are sister and brother. Listen to this conversation and then choose the best ending for each sentence.

_____ 1. Si Karim n'était pas allé faire du skate,

_____ 2. S'il avait pris le thé chez Yasmine,

_____ 3. S'il ne s'était pas cassé la jambe,

_____ 4. Si Imane avait pensé à prendre le numéro de téléphone de Yasmine,

_____ 5. Si Imane n'avait rien dit à Karim,

a. elle aurait pu lui dire qu'il lui plaisait.
b. Karim aurait pu lui téléphoner.
c. il aurait couru chez Yasmine.
d. il n'aurait jamais rien deviné.
e. il ne se serait pas cassé la jambe.

SCORE _____ /10

Lisons

B Read this note and decide if the following statements are **a) vrai** or **b) faux.**

Nayah,

Devine ce que j'ai entendu dire - Rachid et sa copine se sont quittés. Eh oui! Tu sais bien que j'aimerais lui téléphoner tout de suite, mais je suis un peu gênée. Le problème, c'est que Youssef et moi, nous nous sommes déjà donné rendez-vous demain soir! Je dois y aller – je ne veux pas le vexer. J'espère que je ne vais pas regretter ça. Qu'est-ce que tu en penses? Tes conseils me manquent!

Adama

_____ 6. Nayah et Rachid se sont quittés.

_____ 7. Adama aime beaucoup Youssef.

_____ 8. Adama va appeler Rachid tout de suite.

_____ 9. Adama est un peu gênée.

_____ 10. Adama ne veut pas de conseils.

SCORE _____ /10

93

QUIZ: APPLICATION 1

Écrivons

C Think of a person or a place from your past you have fond memories of. Write about what you like or liked about that person or place, and what you miss most about it/him/her. Tell who else besides you liked and miss this person or place and why.

_____

_____

_____

_____

_____

_____

_____

_____

_____

SCORE	/15

TOTAL SCORE	/35

Vocabulaire 2

A Look at these images and match them with the statements below.

a.   b.   c.

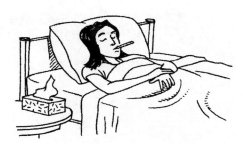 

d.   e.

_____ 1. Romain et moi, nous nous sommes mariés le 17 juin 1991.

_____ 2. Mon père est mort quelques mois après avoir pris sa retraite.

_____ 3. Ma mère est tombée malade un an plus tard.

_____ 4. Ma fille Mina est née deux ans après notre mariage.

_____ 5. Nous avons déménagé quand Mina avait trois ans.

SCORE _____ /5

B Underline the correct word in parentheses in each sentence below.

 6. Mes neveux sont des (jumelles / jumeaux).

 7. Ndolo vit tout seul parce qu'il est (célibataire / adopté).

 8. Tu es allée voir (la veuve / l'orpheline) de ton ancien professeur?

 9. Fabou a (déménagé / loué) un appartement en ville.

10. Je me suis (mariée / née) il y a quinze ans.

SCORE _____ /5

QUIZ: VOCABULAIRE 2   CHAPITRE **4**

C Fill in the blanks using the words below. Make all the necessary changes.

emprunt	**candidature**	**installé**
apprentissage	**adopté**	**loué**

11. Après ses études, Yasmine a fait un _____ dans un restaurant.

12. Ensuite, elle a posé sa _____ pour travailler dans un grand hôtel.

13. Cinq ans plus tard, elle a fait un _____ à la banque pour ouvrir son propre restaurant.

14. Elle a _____ le rez-de-chaussée d'un petit immeuble.

15. Et c'est là qu'elle s'est _____ et qu'elle a ouvert son restaurant.

SCORE _____ /10

D Answer the following statements or questions.

16. Tu n'as pas changé!

_____

17. À propos, je vais me marier!

_____

18. Nous avons adopté un petit garçon.

_____

19. Comment va ton ami Ali?

_____

20. Mon grand-père vient de mourir.

_____

SCORE _____ /10

TOTAL SCORE _____ /30

Grammaire 2

A Underline the correct form of the verb in parentheses.

1. Il ne faut pas que papa (comprenne / comprend) qu'on prépare une fête pour son anniversaire.

2. Maman veut que tu (invites / invite) ta copine.

3. Tante Azah veut que tu l'(aides / aide) à préparer le repas.

4. Elle doit (faire / fasse) un gâteau.

5. Il faut surtout que vous (êtes / soyez) tous à l'heure!

SCORE ___ /5

B Complete the answer to each question logically.

6. —Quand est-ce que les élèves doivent finir leurs devoirs?

   —Il est important qu'ils les _____ avant demain.

7. —Quel train dois-je prendre?

   —Il faut que vous _____ celui de 8h00.

8. —Qu'est-ce qu'il doit apporter?

   —Je voudrais qu'il _____ à boire.

9. —Quand est-ce qu'il faut arriver à l'hôtel?

   —Il est essentiel que vous _____ avant huit heures.

10. —Où dois-je me renseigner?

   —Il vaudrait mieux que tu te _____ au guichet.

SCORE ___ /10

QUIZ: GRAMMAIRE 2 CHAPITRE **4**

C Read this message and then complete the following sentences.

> *Djil,*
>
> *Tu dois venir ce week-end, pour m'aider à déménager. Je dois absolument avoir quitté l'appartement avant midi. Cela veut dire que tu dois être ici avant huit heures, parce que j'ai beaucoup de choses à emporter.*
>
> *Si tu dois travailler ce week-end, appelle-moi le plus vite possible, et je demanderai de l'aide à quelqu'un d'autre. Mais j'espère que tu pourras venir m'aider.*
>
> *Maman*

11. La mère de Djil veut qu'il _____

12. Il faut qu'elle _____

13. Alors, elle souhaite que Djil _____

14. S'il doit travailler, elle voudrait qu'il _____

15. Mais elle préférerait que _____

SCORE /10

D Write five sentences telling what you need to do, what you wish would happen or how you feel about events that have already happened. Use impersonal expressions as well as «Je...» in your responses.

_____
_____
_____
_____
_____
_____
_____
_____

SCORE /10

TOTAL SCORE /35

Application 2

Écoutons

A Listen to the conversation and then complete the sentences correctly.

_____ 1. Arsène et Ousmane se sont…
   a. installés.   b. retrouvés.   c. quittés.

_____ 2. Ils se connaissent…
   a. pas du tout.   b. depuis longtemps.   c. un peu.

_____ 3. Ousmane préfère parler…
   a. de lui-même.   b. du temps.   c. d'Arsène.

_____ 4. Arsène était triste l'année dernière parce que/qu'…
   a. sa mère est morte.   b. il a divorcé.   c. il a été licencié.

_____ 5. Maintenant il est assez…
   a. déçu.   b. heureux.   c. inquiet.

SCORE _____ /10

Lisons

B Read this conversation and then decide if the statements below are **a) vrai** or **b) faux.**

Aliou   Salut, ma grande! Ça fait longtemps!
Zina   Oui… comment vas-tu, Aliou?
Aliou   Ça va, ça va. Viens prendre un café avec moi!
Zina   Pourquoi pas? … Alors, toi, quoi de neuf?
Aliou   Eh bien, moi, je viens de poser ma candidature pour travailler au nouveau stade.
Zina   C'est génial, Aliou. Et moi, je viens de la banque.
Aliou   Pourquoi?
Zina   J'ai fait un emprunt pour ouvrir un magasin de vêtements.
Aliou   Ah, ça, c'est du sérieux! Et… tu es toujours célibataire?
Zina   Oui et non… Je viens de me fiancer. Ah, mon mobile sonne! Ça doit être Ahmed! Excuse-moi.

_____ 6. Aliou et Zina se sont revus il n'y a pas longtemps.

_____ 7. Zina voudrait ouvrir un café.

_____ 8. Aliou travaille au stade.

_____ 9. Ahmed téléphone à Aliou.

_____ 10. Zina est mariée.

SCORE _____ /10

QUIZ: APPLICATION 2   CHAPITRE **4**

Écrivons

C Tell about five events in the life of somebody you know or somebody imaginary. Use at least one expression of necessity, emotion or desire in your description.

_____

_____

_____

_____

_____

_____

_____

_____

_____

_____

_____

_____

SCORE	/15

TOTAL SCORE	/35

Lecture

A Imane is a girl from Mali who has a penpal in France. Before you read her letter, consider what you know about life choices available to girls in Africa. Then write a sentence or two about your reaction to the reading.

Chère Thérèse,

Merci pour ta lettre et pour les photos de ta famille et de ton village.

Tu m'as demandé de parler de la vie d'une fille de mon âge au Mali. Ici au Mali, les femmes peuvent se marier à dix-huit ans et les hommes à vingt et un ans. Si les parents sont d'accord, les filles peuvent même se marier plus tôt!

Ces jeunes mariées ne vont plus à l'école et, à mon avis, ne sont pas préparées pour la vie. Bien entendu, la tradition est ancienne et difficile à combattre.

Cependant, les choses changent un peu: aujourd'hui au Mali, on voit plus de filles à l'école qu'en 2000. C'est encourageant, mais il y a encore beaucoup de travail à faire.

À bientôt,

Imane

_____

_____

| SCORE | /20 |

B Decide whether the statements below are **a) vrai** or **b) faux.**

_____ 1. Les jeunes mariées arrêtent leurs études.

_____ 2. D'après Imane, rien ne change au Mali pour les filles.

_____ 3. Imane trouve que c'est une bonne tradition.

_____ 4. En 2000, il y avait plus de filles à l'école au Mali.

_____ 5. Malheureusement, il n'y a rien à faire pour changer cette tradition.

| SCORE | /10 |

C Est-ce que tu penses qu'il y a un âge idéal pour se marier? Explique ta réponse.

_____

_____

_____

| SCORE | /20 |

| TOTAL SCORE | /50 |

Écriture

A Write an entry in your journal about a family reunion you just attended, who was there, and what news they had to share. Write at least five sentences.

_____

_____

_____

_____

_____

_____

_____

_____

| SCORE | /15 |

B You've just run into a former boyfriend/girlfriend, and now you're telling your best friend about it. Write a conversation in which you tell your friend what's new with your ex, and how it felt to see him/her.

Toi _____

Ton ami(e) _____

Toi _____

Ton ami(e) _____

Toi _____

Ton ami(e) _____

Toi _____

Ton ami(e) _____

Toi _____

Ton ami(e) _____

Toi _____

Ton ami(e) _____

Toi _____

| SCORE | /20 |

| TOTAL SCORE | /35 |

Amours et amitiés

Écoutons

A Select the image that best illustrates each short conversation you hear.

a.

b.

c.

d.

e.

_____ 1.   _____ 4.

_____ 2.   _____ 5.

_____ 3.

SCORE _____ /5

B Listen to Louis talk about his youth, then indicate whether each of the following statements is **a) vrai** or **b) faux.**

_____ 6. Louis a un frère jumeau.

_____ 7. Louis a passé son enfance en Belgique.

_____ 8. L'Afrique a beaucoup plu à la mère de Louis.

_____ 9. Le père de Louis travaille toujours.

_____ 10. La mère de Louis est veuve.

SCORE _____ /5

EXAMEN

Lisons

C Mariam's grandmother is putting together a scrap book of all the major family events for her granddaughter. Rearrange them in chronological order from a–e.

_____ 11. Ils se sont plu tout de suite et ils sont tombés amoureux.

_____ 12. Ta mère manquait beaucoup à ton père, alors il lui a offert une très belle bague et il lui a demandé si elle voulait se marier avec lui.

_____ 13. Mais un jour, ils se sont disputés et ils ont rompu.

_____ 14. Quand tes parents se sont rencontrés, ton père faisait un apprentissage.

_____ 15. Ils se sont mariés et tu es née deux ans plus tard.

SCORE _____ /10

D Read this conversation and answer the questions using complete sentences.

Khalil Tes parents ont toujours vécu en France?

Fai Non, ils ont grandi au Cameroun. Ils se sont installés en France après leurs études.

Khalil Et ça leur plaît de vivre ici?

Fai Oui, mais le Cameroun leur manque un peu.

Khalil Moi, mes parents sont toujours au Cameroun, mais quand mon père va prendre sa retraite, ils vont s'installer chez moi.

Fai Tu as une grande maison?

Khalil Non, je loue un petit appartement, mais maintenant que j'ai trouvé du travail, je vais faire un emprunt pour acheter une grande maison.

Fai Ah oui? Eh bien, toutes mes félicitations!

16. Où est-ce que les parents de Fai ont passé leur enfance?

_____

17. Est-ce que leur pays leur manque?

_____

18. Qu'est-ce que les parents de Khalil vont faire plus tard?

_____

19. Est-ce que Khalil va rester dans son appartement?

_____

20. Pourquoi est-ce que Fai dit «Toutes mes félicitations!» à Khalil?

_____

SCORE _____ /10

Culture

E Complete the following statements.

_____21. Le roi Mohammed VI a réformé le code…
    a. de la femme.   b. de la famille.   c. juridique.

_____22. Maintenant, les Marocaines ne sont plus considérées comme…
    a. des épouses.   b. des mères.   c. des enfants.

_____23. Les mariées marocaines ont les mains peintes au…
    a. henné.   b. thé.   c. souk.

_____24. Quand un jeune couple français veut sortir, c'est le plus souvent…
    a. en groupe.   b. à deux.   c. en famille.

_____25. Les formateurs multiculturels aident les familles qui…
    a. vont à l'étranger.   b. sont perdues.   c. adoptent des enfants.

SCORE _____ /5

Vocabulaire

F For each pair of events below, indicate which one most likely occurred first.

_____26. a. Mon oncle a pris sa retraite.
         b. Mon oncle a posé sa candidature pour un travail de comptable.

_____27. a. Patrice et Johanna se sont rencontrés chez des amis.
         b. Patrice et Johanna sont tombés amoureux.

_____28. a. Il est mort quelques années plus tard.
         b. Il est tombé malade en septembre 2006.

_____29. a. On ne se plaisait pas du tout en Suisse.
         b. On a décidé de quitter le pays pour aller s'installer en Afrique.

_____30. a. Ils se sont disputés à la soirée de Marthe.
         b. Ils se sont revus et ils se sont réconciliés.

SCORE _____ /5

G Select the best caption for each of the following images.

a.

b.

c.

d.

e.

_____31. Ils se sont donné rendez-vous à midi pour déjeuner.

_____32. À mon avis, il vaudrait mieux qu'ils attendent pour se marier.

_____33. Elle a quitté Ali, elle a trouvé un travail à Paris et elle a déménagé.

_____34. Mes parents sont tristes que j'aille m'installer en Espagne.

_____35. Son travail ne lui plaît pas et elle a posé sa candidature pour un autre job.

SCORE _____ /5

H Select the most logical response to each of the following statements.

_____36. Vous savez, nous avons eu des jumeaux le mois dernier.

_____37. J'ai envie de m'installer dans une autre ville. À ton avis, c'est une bonne idée?

_____38. Malheureusement, ma femme est morte il y a quelques mois.

_____39. Je viens d'arrêter mes études. Qu'est-ce que tu en penses?

_____40. Paul et moi, nous nous sommes mariés en juin.

a. Si j'avais été toi, je les aurais finies.

b. Toutes mes félicitations!

c. Tes amis vont te manquer.

d. Mes sincères condoléances.

e. Tous mes vœux de bonheur!

SCORE _____ /10

EXAMEN   **CHAPITRE 4**

Grammaire

I Mohammed is considering his options once he finishes college. Complete each blank with either the infinitive or the subjunctive form of the verb in parentheses, as needed.

Pour réussir dans la vie, il faudrait que je (41)_____ (réussir) à trouver

un bon travail. Je suis content de (42)_____ (finir) mes études en juin,

mais je ne sais pas trop ce que je vais faire. Mon frère et moi, nous souhaitons

(43)_____ (travailler) avec notre père et nous sommes désolés que ce ne

(44)_____ (être) pas possible. Il préfère que nous (45)_____

(aller) travailler avec notre oncle.

SCORE _____ /5

J Complete the following sentences to reflect personal desires, wishes, and emotions about your life and your future.

46. Mes parents souhaitent que je _____

47. Je voudrais que mon futur travail _____

48. Mes amis et moi, nous désirons que nos études _____

49. Il est nécessaire que nous, les jeunes, nous _____

50. Il faudrait que vous, les adultes, vous _____

SCORE _____ /10

K Using expressions such as **il faut que, il est important que,** etc. and the subjunctive, give five pieces of advice that might be useful to various people you know (i.e., a friend, family members, etc.) or to people in general.

51. _____

52. _____

53. _____

54. _____

55. _____

SCORE _____ /10

EXAMEN   CHAPITRE **4**

Écrivons

L Write a paragraph describing how you first met someone who has since played an important part in your life (i.e., your boyfriend or girlfriend, your best friend.)

_____

_____

_____

_____

_____

_____

_____

_____

_____

_____

| SCORE | /10 |

M Imagine we are 20 years from now. Describe what your life has been like, what you've done, where you've lived, what your family life has been like, etc.

_____

_____

_____

_____

_____

_____

_____

_____

_____

_____

| SCORE | /10 |

| TOTAL SCORE | /100 |

Answer Key

Vocabulaire 1

A (5 points: 1 point per item)
1. retrouver
2. fâché
3. déçu
4. Si j'avais été toi
5. téléphoner

B (9 points: 1 point per item)
6. mauvaise humeur
7. disputés
8. fâchée
9. regretté
10. téléphoné
11. parlé
12. réconciliés
13. donné
14. se retrouver

C (4 points: 1 point per item)
15. c   17. b
16. a   18. d

D (12 points: 3 points per item)
Answers will vary. Possible answers:
19. Je n'en ai pas la moindre idée.
20. Ce n'est pas vrai!
21. Pas possible!
22. Jamais de la vie!

Grammaire 1

A (5 points: 1 point per item)
1. –
2. –
3. es
4. –
5. es

B (10 points: 2 points per item)
6. Ils se sont rencontrés à une fête.
7. Ils se sont parlé toute la soirée.
8. Ils ont échangé leur adresse e-mail.
9. Ils se sont revus la semaine suivante.
10. Depuis, ils ne se sont plus quittés.

C (10 points: 2 points per item)
11. n'aurions pas manqué
12. n'aurais pas été
13. n'aurait pas téléphoné
14. n'aurais pas répondu
15. serions arrivés

D (10 points: 2 points per item)
Answers will vary. Possible answers:
16. j'aurais rencontré Sylvie.
17. je serais resté plus longtemps.
18. on serait allés au cinéma ensemble.
19. ils auraient pu nous aider.
20. vous auriez pu m'écrire.

Application 1

A (10 points: 2 points per item)
1. e   4. b
2. a   5. d
3. c

B (10 points: 2 points per item)
6. b   9. a
7. b   10. b
8. b

C (15 points) Answers will vary. Sample answer.

Ma grand-mère était super gentille. Elle me manque beaucoup. Ce qui me plaisait chez elle, c'est qu'elle était toujours là pour m'écouter et me donner des conseils… Bien sûr, elle manque aussi beaucoup à ma mère et à toute la famille. Tout le monde l'adorait!

Answer Key

Vocabulaire 2

A (5 points: 1 point per item)

1. c   4. a
2. b   5. e
3. d

B (5 points: 1 point per item)

6. jumeaux
7. célibataire
8. la veuve
9. loué
10. mariée

C (10 points: 2 points per item)

11. apprentissage
12. candidature
13. emprunt
14. loué
15. installée

D (10 points: 2 points per item)
Answers will vary. Possible answers:

16. Toi non plus!
17. Toutes mes félicitations!
18. Toutes mes félicitations!
19. Je ne le vois plus.
20. Mes sincères condoléances.

Grammaire 2

A (5 points: 1 point per item)

1. comprenne
2. invites
3. aides
4. faire
5. soyez

B (10 points: 2 points per item)

6. finissent
7. preniez
8. apporte
9. arriviez
10. renseignes

C (10 points: 2 points per item)
Answers will vary. Possible answers:

11. vienne ce week-end pour l'aider à déménager.
12. quitte son appartement avant midi.
13. soit là avant huit heures.
14. l'appelle le plus vite possible s'il doit travailler.
15. ce soit lui.

D (10 points) Answers will vary. Possible answers:

Samedi, il faut que je fasse mes devoirs et que je rende les livres que j'ai empruntés au CDI. Dimanche après-midi, je voudrais que mes copains viennent avec moi au cinéma. Etc.

Application 2

A (10 points: 2 points per item)

1. b
2. b
3. c
4. a
5. b

B (10 points: 2 points per item)

6. b
7. b
8. b
9. b
10. b

C (15 points) Answers will vary. Sample answer.

Mon oncle vient de finir ses études de vétérinaire. Il s'est installé à la campagne. Il est encore célibataire mais ma grand-mère voudrait qu'il se marie et qu'il ait des enfants! Etc.

Lecture

A (20 points) Answers will vary. Sample answer:

Je n'aurais pas crû que des filles si jeunes se mariaient encore aujourd'hui. Mais je sais que la tradition est forte en Afrique.

B (10 points: 2 points per item)
1. a
2. b
3. b
4. b
5. b

C (20 points) Answers will vary. Sample answer:

Quand mes grands-parents étaient jeunes, les filles se mariaient jeunes parce qu'en général elles ne faisaient pas d'études. Maintenant, je pense qu'on peut faire ce qu'on veut – il y a des mariées de 21 ans et des femmes célibataires de 40 ans. Je pense que c'est une bonne chose.

Écriture

A (25 points) Answers will vary. Sample answer:

Ma cousine Pauline vient d'ouvrir son propre restaurant. Elle dit que c'est beaucoup de travail. Mon beau-père va prendre sa retraite l'année prochaine. Il est heureux – et sa femme aussi! Grand-mère n'allait pas bien, alors elle n'est pas venue. J'étais triste qu'elle ne soit pas là.

B (25 points) Answers will vary. Sample answer.

Toi:	Devine qui je viens de voir!
Ton ami(e):	Qui?!
Toi:	Mireille.
Ton ami(e):	Pas possible!
Toi:	Si. Et elle avait l'air heureuse.
Ton ami(e):	Ah bon? Qu'est-ce qu'elle fait?
Toi:	Elle vient de finir ses études, elle fait un stage chez *Vogue* et elle est amoureuse!
Ton ami(e):	Ce n'est pas vrai!

Answer Key

Écoutons

A (5 points: 1 point per item)
1. e
2. a
3. b
4. c
5. d

B (5 points: 1 point per item)
6. a
7. b
8. b
9. b
10. a

Lisons

C (10 points: 2 points per item)
11. b
12. d
13. c
14. a
15. e

D (10 points: 2 points per item)
Answers will vary. Possible answers:
16. Ils ont passé leur enfance au Cameroun.
17. Oui, mais le Cameroun leur manque un peu.
18. Ils vont s'installer chez Khalil.
19. Non, il va faire un emprunt pour acheter une grande maison.
20. Parce que Khalil a trouvé un bon travail.

Culture

E (5 points: 1 point per item)
21. b
22. c
23. a
24. a
25. a

Vocabulaire

F (5 points: 1 point per item)
26. b
27. a
28. b
29. a
30. a

G (5 points: 1 point per item)
31. d
32. a
33. b
34. e
35. c

H (10 points: 2 points per item)
36. b
37. c
38. d
39. a
40. e

Grammaire

I (5 points: 1 point per items)
41. réussisse
42. finir
43. travailler
44. soit
45. allions

J (10 points: 2 points per item Answers will vary. Possible answers:
46. me marie après avoir fini mes études.
47. soit intéressant.
48. se terminent le plus vite possible!
49. parlions franchement.
50. nous écoutiez.

K (10 points: 2 points per item Answers will vary. Possible answers:
51. Il faut que tu te fasses des amis.
52. Il est important qu'on soit à l'heure.
53. Il vaut mieux que vous ne disiez rien.
54. Il faut qu'on se parle.
55. Il est nécessaire qu'ils apprennent le français.

Écrivons

L (10 points) Answers will vary. Possible answer.

J'ai rencontré ma meilleure amie à l'école. On avait six ans et on faisait tout ensemble. Malheureusement, je ne la vois plus.

M (10 points) Answers will vary. Sample answer.

Après le lycée, j'ai fait des études à l'université. Ensuite, j'ai fait le tour du monde. Je suis allée jusqu'en Chine. Là, je me suis installée et j'ai appris le chinois.

Scripts: Quizzes

Application 1

A

Imane	Karim, tu aurais dû venir prendre le thé chez Yasmine au lieu de faire du skate.
Karim	Oui, surtout que chez elle, je ne me serais pas cassé la jambe. *[Laughs]* Aïe!
Imane	Elle était déçue que tu ne sois pas venu!
Karim	Elle était vexée?
Imane	Non, c'est que… tu lui plais.
Karim	Ce n'est pas vrai!
Imane	Si, elle voulait te le dire elle-même.
Karim	Qu'est-ce que tu en penses? Je lui téléphone?
Imane	*[Laughs]* Oui, tu ferais mieux de ne pas courir chez elle.
Karim	C'est marrant. Tu as son numéro?
Imane	Ah, non, je ne l'ai pas!
Karim	Si j'avais été toi, je l'aurais pris…!

Application 2

A

Ousmane	Arsène! C'est pas vrai! Tu n'as pas changé.
Arsène	Toi non plus, Ousmane! Ça fait longtemps. Tu veux t'asseoir?
Ousmane	Je veux bien. *[To waiter:]* Un café, s'il vous plaît. Alors… quoi de neuf?
Arsène	Rien de spécial.
Ousmane	Comment va ta mère?
Arsène	Malheureusement, elle est morte l'année dernière.
Ousmane	Mes sincères condoléances, mon vieux.
Arsène	Merci. J'étais très triste.
Ousmane	Et ta copine… comment s'appelait-elle?
Arsène	Ah, Magali. On s'est mariés. Nous avons une petite fille. À propos, on vient de déménager dans une maison.
Ousmane	Pas possible! Toutes mes félicitations!
Arsène	Et toi, quoi de neuf?
Ousmane	*[Laughs]* Moi? Tu charries! Je n'ai rien à raconter.

SCRIPTS   CHAPITRE **4**

Examen

A 1. —J'ai entendu dire que Sylvie a rencontré un garçon super.

   —Oui, ils se sont rencontrés pendant son apprentissage. Il s'appelle Hervé.

2. —Devine qui j'ai rencontré hier?

   —Qui ça?

   —Charles! Figure-toi qu'il s'est réconcilié avec sa copine. Il a regretté de s'être fâché et elle lui manquait beaucoup, alors ils se sont donné rendez-vous dans un café, il lui a offert un cadeau et ils se sont réconciliés!

3. —Ma cousine a rencontré ton frère au travail.

   —Oui, je sais. Ils ont échangé leurs numéros de téléphone. Mon frère a téléphoné à ta cousine hier soir.

4. —Tu savais que Victor et Clémence n'étaient plus ensemble?

   —C'est pas vrai! Raconte!

   —Pendant les vacances, Victor a vu Clémence avec un autre garçon, alors bien sûr, ils se sont disputés. Victor était furieux et ils ont rompu!

5. —Mathias avait l'air de mauvaise humeur. Tu sais pourquoi?

   —J'ai entendu dire qu'il était arrivé en retard à son rendez-vous avec Mélanie! Il a dû lui expliquer pourquoi. Il était vraiment gêné.

B Mon frère jumeau et moi, nous sommes nés en Afrique. Nous avons passé notre enfance au Sénégal. Ma mère ne s'y plaisait pas trop et sa famille lui manquait, alors quand j'avais dix-sept ans, nous avons déménagé et nous nous sommes installés à Bruxelles, en Belgique. Malheureusement, mon père est tombé malade quelques années plus tard et il a dû prendre sa retraite. Il est mort l'année dernière.

Géoculture

A Identify the regions on the map associated with the following names.

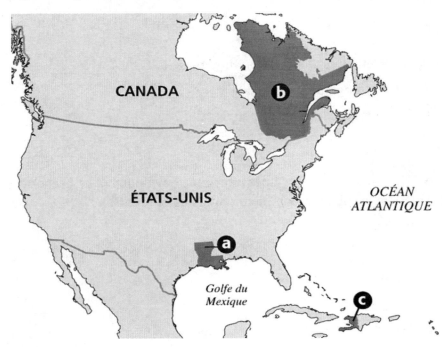

_____1. le Québec

_____2. Haïti

_____3. la Louisiane

_____4. le Mississipi

_____5. La Nouvelle-Orléans

SCORE   /5

B Match the items on the left with the name of the region.

_____ 6. les Métis

_____ 7. la citadelle

_____ 8. le séparatisme

_____ 9. le Vieux Carré

_____10. les bayous

a. le Québec
b. la Louisiane
c. Haïti
d. La Nouvelle-Orléans
e. le Saint-Laurent

SCORE   /5

QUIZ: GÉOCULTURE CHAPITRE **5**

C Fill in the blanks.

11. Le _____ a voulu se séparer du reste du Canada.

12. La _____ se trouve là où le Mississippi arrive dans le golfe du Mexique.

13. Le premier état noir des Temps Modernes était _____.

14. Le Grand Dérangement a déplacé les _____.

15. Les Métis sont un des grands peuples du _____.

SCORE /10

D What role did each of these people play in the development of French-speaking North America? Explain in complete sentences in French.

16. Jean-Jacques Dessalines

_____

17. Robert Cavelier de la Salle

_____

18 François «Papa Doc» Duvalier

_____

19. Napoléon

_____

20. Christophe Colomb

_____

SCORE /10

TOTAL SCORE /30

Vocabulaire 1

A Look at the illustrations and match each one with the correct animal.

a.

b.

c.

d.

e.

_____ 1. un ours

_____ 2. un loup

_____ 3. un orignal

_____ 4. un écureuil

_____ 5. un dauphin

SCORE _____ /5

B Underline the correct word in each sentence.

6. Les (requins / dauphins) sont dangereux.

7. Dans les bayous de la Louisiane, on trouve des (baleines / hérons).

8. Un (aigle / papillon) est un oiseau sauvage.

9. On peut parfois voir des (castors / méduses) dans les rivières.

10. Une (écrevisse / chauve-souris) peut attraper des moustiques en volant.

SCORE _____ /5

QUIZ: VOCABULAIRE 1   CHAPITRE **5**

C Match each animal on the right with a statement on the left.

_____ 11. Méfie-toi, elle pourrait bien te piquer!

_____ 12. J'ai peur quand je l'entends la nuit.

_____ 13. Fais attention à ton pique-nique.

_____ 14. Surtout, ne nagez pas ici.

_____ 15. Prends garde, il ne faut pas manger la tête.

a. le loup
b. la guêpe
c. l'écrevisse
d. le dauphin
e. l'ours
f. le requin

SCORE _____ /10

D Fill in the blanks with an appropriate expression from the box below.

Quelle horreur!	**Défense de…**	**Au secours!**
Je n'en reviens pas!	**Prière de ne pas…**	

16. _____ On a nagé avec des dauphins!

17. _____ Une araignée!

18. _____ Je suis descendu dans cette grotte et je suis tombé!

19. _____ nourrir les ours.

20. _____ sortir de votre voiture.

SCORE _____ /10

TOTAL
SCORE _____ /30

Grammaire 1

A Choose the correct response to each suggestion from the box at right.

_____ 1. Si on allait au cinéma?

_____ 2. Je vais donner à manger aux ours.

_____ 3. Je vais aller dans cette grotte.

_____ 4. Il sort de sa voiture au milieu du parc.

_____ 5. Pourrais-tu prendre mon appareil photo?

a. Ne leur donne rien!
b. N'y va pas!
c. Mais c'est interdit!
d. Donne-le-moi.
e. Allons-y!

SCORE ____ /5

B Provide the correct form of each verb in parentheses.

6. Tu n'as pas peur que cette guêpe te _____ (piquer)?

7. Nous craignons qu'il y _____ (avoir) des requins.

8. Je suis heureuse d'_____ (avoir) vu des baleines.

9. Je suis contente qu'on _____ (pouvoir) nager avec des dauphins!

10. Il a peur que son enfant _____ (tomber) du bateau.

11. Ils ont peur que nous _____ (se perdre).

12. Vous craignez de _____ (se blesser).

13. Mes parents craignent que cela _____ (arriver).

14. Il faut que tu _____ (faire) attention!

15. Tu veux voir des animaux? Alors, il faut que tu _____ (avoir) de la patience!

SCORE ____ /10

C You're spending the day with your grandmother, who's a little over protective. Every time you suggest something, she tells you what she fears will happen. What would she say to the following? Vary the responses from your grandmother using the expressions "I'm afraid . . ." and "I fear . . ."

16. Je veux faire du vélo.

_____

17. Si on faisait une randonnée?

_____

18. Je vais donner à manger aux écureuils.

_____

19. Je vais téléphoner à mon ami en France.

_____

20. Moi, je vais préparer le dîner.

_____

SCORE	/10

D Aurélie and Pauline are too young to read, so their father is giving them instructions based on the signs they see. Write down what he will most likely say based on the clue given. Use the imperative.

21. DÉFENSE DE SE BAIGNER (to Aurélie)

_____

22. PRIÈRE DE NE PAS NOURRIR LES ANIMAUX (to Aurélie and Pauline)

_____

23. INTERDICTION DE FAIRE DU VÉLO (to both girls and himself)

_____

24. PRIÈRE DE FAIRE ATTENTION AUX SERPENTS (to both girls and himself)

_____

25. DÉFENSE D'ENTRER DANS LES GROTTES (to Aurélie and Pauline)

_____

SCORE	/10

TOTAL SCORE	/35

Application 1

Écoutons

A Julianne is going on vacation. Listen to the conversation between Julianne and her mother and then indicate whether the statements that follow are **a) vrai** or **b) faux.**

_____ 1. Julianne va visiter un parc national.

_____ 2. Le père de Julianne lui a dit de faire des photos.

_____ 3. Sa mère dit à Julianne de faire ce que lui dit son père.

_____ 4. Elle veut que Julianne fasse attention.

_____ 5. Elle craint que Julianne ne l'écoute pas.

SCORE _____ /10

Lisons

B You and your little brother are at the park entrance when you see this sign. Since he can't read yet, you will have to pass on the instructions. Put an X next to the things you **will** let your brother do.

BIENVENUE AU PARC DE L'ÎLE VERTE	
Défense de:	**Vous êtes invités à:**
• **nourrir les animaux** • **cueillir les fleurs** • **faire du feu** • **entrer dans les grottes**	• **vous baigner** • **faire un pique-nique** • **faire une randonnée** • **camper**

_____ 6. donner des cacahuètes aux écureuils

_____ 7. aller voir les chauve-souris

_____ 8. nager

_____ 9. faire un bouquet de fleurs

_____ 10. monter la tente

SCORE _____ /10

QUIZ: APPLICATION 1

CHAPITRE **5**

Écrivons

C Tell if you like to watch TV documentaries on wild animals, and if so, what you last watched. Or if you have been to a national parc or a zoo, tell what animals you saw and what you saw them doing. Be sure to differentiate between **watching** and **seeing**.

_____

_____

_____

_____

_____

_____

_____

_____

_____

_____

_____

SCORE	/15

TOTAL SCORE	/35

Vocabulaire 2

A Look at these images and match each one with a statement below.

a.

b.

c.

d.

e.

_____ 1. Tristan fait du VTT tous les week-ends.

_____ 2. Moi, j'ai fait du deltaplane cet été. C'était génial!

_____ 3. Nous, on va faire de la spéléologie en Arizona.

_____ 4. Ma fille fait de la plongée sous-marine à l'est d'Haïti.

_____ 5. À mon avis, il faut avoir un canoë si on habite au Canada.

SCORE _____ /5

B Mathieu and Félix are visiting the region. Match each of Félix's responses on the right with Mathieu's complaints on the left.

_____ 6. J'ai le vertige!

_____ 7. C'est trop loin!

_____ 8. Je n'en peux plus!

_____ 9. Je suis fatigué!

_____ 10. Je meurs de soif!

a. Courage, tu verras, ça en vaut la peine.
b. Allez, tu y es presque. Tu pourras te reposer!
c. Courage, on aura bientôt à boire.
d. Courage, tu ne tomberas pas.
e. Ce n'est qu'à trois kilomètres d'ici!

SCORE _____ /5

QUIZ: VOCABULAIRE 2   CHAPITRE **5**

C These people are discussing extreme sports. Complete their sentences logically.

11. Je vais faire le tour du monde _____ en solitaire.

12. Tu as souvent le vertige, alors pas _____ pour toi!

13. J'ai peur de l'eau. Je ne fais pas _____.

14. Elle adore faire du vélo et elle va parcourir les Alpes

    _____.

15. Vous aimez observer les chauve-souris? Faites _____!

SCORE	/10

D Look at the map. Tell where each destination is in relation to your starting point.

16. Tu es à Fort Liberté. Tu veux aller à Limbé. _____

    _____

17. Tu es aux Cayes. Où est l'île à Vache? _____

    _____

18. Tu es à Môle St.-Nicolas. Tu veux aller à Port-de-Paix. _____

    _____

19. Tu es à Port-au-Prince. Tu veux aller à Saint-Louis-du-Nord? _____

    _____

20. Tu es à Cap Haïtien. Tu veux aller à Port-au-Prince. _____

    _____

SCORE	/10

TOTAL SCORE	/30

Grammaire 2

A Choose the right form of the best verb (**emporter, apporter, emmener** or **amener**) for each sentence.

1. Maman, tu m'_____ à l'école? J'ai raté le bus.

2. Je ne pense pas que Sylvain et Éléonore nous _____ un gâteau dimanche.

3. Tu es à la cuisine? Sois gentil, _____-moi une cuillère.

4. Tu ne veux pas que Céline _____ son copain à ta fête?

5. Il faut que vous _____ votre passeport avec vous pour aller au Mexique.

SCORE ____ /10

B Based on the elements provided, choose the right verb (**emporter, apporter, emmener** or **amener**) to write complete sentences. Make all the necessary changes.

6. on / des boissons / la fête de Julien

_____

7. tu / les enfants / le parc

_____

8. vous / le chien / chez le vétérinaire

_____

9. ils / des croissants / chez moi

_____

10. vous / mamie / quand vous venez à la maison ce soir?

_____

SCORE ____ /10

QUIZ: GRAMMAIRE 2 CHAPITRE **5**

C Your Haitian penpal's note got wet in the mail. Now you have to figure out what he was trying to tell you. Fill in the blanks with the preposition **à** or **de,** but only if one is needed.

> *Joseph,*
>
> *J'ai été heureux de recevoir ta lettre. Ici, il n'arrête pas (11)____ pleuvoir et je n'en peux plus! J'ai peur (12) _____ devoir acheter un nouvel ordinateur parce qu'hier j'ai oublié (13) _____ fermer la fenêtre de ma chambre, je peux (14) _____ te dire que je l'ai regretté!*
>
> *Je veux qu'on commence (15) _____ s'écrire plus souvent. Allez, c'est à toi maintenant!*
>
> *Hilaire*

| SCORE | /5 |

D A new friend is very curious about you. Tell him or her a bit about yourself by completing the following sentences. Be sure to use the correct preposition when necessary.

16. Aujourd'hui, j'ai décidé _____

_____

17. La semaine dernière, j'ai réussi _____

_____

18. Ce matin, j'ai oublié _____

_____

19. Hier, mon prof m'a conseillé _____

_____

20. Mes copains espèrent _____

_____

| SCORE | /10 |

| TOTAL SCORE | /35 |

Application 2

Écoutons

A Listen to these conversations and match them with the images below.

a.

b.

c.

d.

e.

_____1.   _____2.   _____3.   _____4.   _____5.

SCORE _____ /10

Lisons

B Read this conversation and tell if the statements are **a) vrai** or **b) faux**.

Ginette	Il fait tellement beau!
Bertrand	Oui… j'ai envie de faire la sieste.
Ginette	Sois gentil, emmène-moi au parc.
Bertrand	Pour quoi faire?
Ginette	Pour monter à cheval!
Bertrand	Ah, pour se faire mal? Non, merci!
Ginette	Allez, Bertrand, un petit effort! Je n'en peux plus! Il faut que je fasse quelque chose!
Bertrand	Bon…[sigh]…si on allait voir un film?
Ginette	Ça alors! Pour moi, tu ferais…. la queue au guichet!

_____ 6. Ginette a envie de s'amuser.

_____ 7. Bertrand aime prendre des risques.

_____ 8. Bertrand est en train de faire la sieste.

_____ 9. Ginette a besoin de faire quelque chose.

_____ 10. Il a l'intention d'emmener Ginette au cinéma.

SCORE _____ /10

QUIZ: APPLICATION 2

Écrivons

C You are talking to a friend who is organizing a party. Write a conversation between you and your friend in which he/she is asking you whom or what you are going to bring and you say what you will take to the party. Write at least five sentences.

_____

_____

_____

_____

_____

_____

_____

_____

_____

_____

_____

SCORE	/15

TOTAL SCORE	/35

Lecture

A What effect does this poem have on you? Share your impressions in French in a sentence or two.

Les dauphins sautent et tournent, le nez en l'air.
Ils ont l'air de s'amuser à leur bal populaire
Au milieu de la mer qui nous est encore étrangère.
N'ont-ils pas le vertige? Ou peur? Non, ils ne se quittent pas.
Ils prennent garde aux requins. Quand tu les vois,
De la plage, tu sais que tu peux te baigner tranquillement.
Je me demande bien s'ils ont la même pensée en nous voyant.

_____

_____

| SCORE | /10 |

B According to the poem, decide whether the following statements are **a) vrai** or **b) faux.**

_____ 1. Les dauphins nagent en groupe.

_____ 2. Quand on les voit près de la plage, on sait qu'il n'y a pas de requins.

_____ 3. Ils sont vraiment à un bal populaire.

_____ 4. Nous savons tout sur les océans.

_____ 5. L'auteur se demande si les dauphins ont peur de nous.

| SCORE | /10 |

C As-tu déjà vu un dauphin de près? Si oui, ou étais-tu et comment c'était? Si non, quel autre animal sauvage as-tu déjà vu?

_____

_____

_____

_____

| SCORE | /15 |

| TOTAL SCORE | /35 |

Écriture

A Write a conversation in which a young couple is visiting a nature reserve to see wild animals. One of them is complaining about everything and the other is offering encouragement.

_____

_____

_____

_____

_____

_____

_____

_____

_____

SCORE	/20

B You are going on an adventurous trip in the wilderness. Your mother is warning you against certain animals and tells you not to do at least three things. Use the imperative.

_____

_____

_____

_____

_____

_____

_____

_____

SCORE	/15

TOTAL SCORE	/35

En pleine nature

CHAPITRE **5**

EXAMEN

Écoutons

A Listen to the sentences and match each one with the right image.

_____ a.   _____ b.   _____ c.

_____ d.   _____ e.

SCORE _____ /5

B Listen to the conversation and then tell whether each statement is **a) vrai** or **b) faux**.

_____ 6. Cyril et Zoë font le tour de La Nouvelle-Orléans.

_____ 7. Zoë n'est pas du tout préparée pour le froid.

_____ 8. Cyril essaie d'encourager Zoë.

_____ 9. Ils arrivent au château et ils sont déçus.

_____ 10. Zoë a envie de continuer à visiter la ville.

SCORE _____ /5

EXAMEN _____ CHAPITRE **5**

Lisons

C Read this sign and then complete the statements below.

BIENVENUE AU PARC NATUREL D'HAÏTI	
ATTENTION La nage solitaire est interdite. Prière de ne pas nourrir les dauphins. Méfiez-vous des requins. Défense d'entrer dans les grottes. N'emportez pas de corail.	
AVEZ-VOUS OUBLIÉ QUELQUE CHOSE? Vous trouverez masques, bouteilles et combinaisons dans notre boutique près de l'entrée du parc.	**LE PARC FERME À 20 H**

_____ 11. Dans ce parc, on peut faire...

      a. du parachutisme.   b. du canoë.   c. de la plongée sous-marine.

_____ 12. Il est défendu de faire...

      a. de la pêche.   b. de la spéléologie.   c. du bruit.

_____ 13. Dans la boutique, on peut prendre...

      a. l'équipement.   b. des cocas.   c. des photos.

_____ 14. Il ne faut surtout pas cueillir...

      a. les plantes.   b. les fleurs.   c. le corail.

_____ 15. Si on ne veut pas dormir dans le parc, il faut partir avant...

      a. 8 h du soir.   b. 10 h du soir.   c. minuit.

SCORE _____ /5

EXAMEN   CHAPITRE **5**

D Read this journal entry and then answer the questions.

Le 15 septembre – Nous sommes à environ deux jours du sommet – pas loin du tout! Aujourd'hui, j'ai voulu qu'on s'arrête un peu vers midi parce qu'il neigeait. Un peu plus tard, j'ai cru que j'allais tomber. Tout tournait autour de moi. Alors, j'ai juste regardé devant moi. Après, ça allait mieux. Vers 16 h, on est arrivés au camp et les autres nous attendaient avec un repas chaud. Je n'avais jamais eu aussi faim de ma vie.

16. De quel sport est-ce qu'on parle?

_____

17. Qu'est-ce qui est arrivé à l'auteur?

_____

18. Qu'est-ce qu'il a fait?

_____

19. Est-ce qu'il est loin du sommet?

_____

20. Est-ce qu'il est arrivé au camp le premier?

_____

SCORE   /10

Culture

E Decide if the following statements are **a) vrai** or **b) faux**.

_____21. En Haïti, on trouve des «paroisses».

_____22. Dans certains parcs canadiens, on peut apprendre l'histoire des plantations.

_____23. Les Acadiens ont quitté la Louisiane pour s'installer au Canada.

_____24. Dans la plupart des parcs publics français, il est interdit de marcher sur la pelouse.

_____25. Certaines lois de la Louisiane sont basées sur le Code Napoléon.

SCORE   /5

EXAMEN   CHAPITRE **5**

Vocabulaire

F Complete the sentences using the words below.

rapides	voile	deltaplane	masque	VTT
espèce	interdit	tropical	piquer	méfier

26. Il a fait du _____, mais il avait le vertige!

27. Un jour, j'aimerais faire le tour du monde à la _____.

28. Quand on fait du rafting, il faut savoir descendre les _____.

29. Ne me dis pas que tu as oublié ton _____ de plongée!

30. Quand on est à la montagne, on adore faire du _____.

31. _____-toi des abeilles! Elles _____!

32. Tu sais, il est _____ d'attraper des papillons!

33. En Haïti, la flore est de style _____.

34. Tu as déjà vu cette _____ d'iguane?

SCORE   /10

G Complete the directions someone has given you with the expressions in the box.

(35) _____ l'île, il y a une belle plage. (36) _____ dix kilomètres d'ici. Pour y aller, tu dois aller (37) _____. Ensuite, continue pendant près de cinq kilomètres et tu verras le sentier qui va à la plage. Là, (38) _____! Vas-y. Crois-moi, (39) _____!

a. ça en vaut la peine
b. tu y es presque
c. c'est à environ
d. dans le nord de
e. vers l'ouest

SCORE   /10

EXAMEN   CHAPITRE **5**

Grammaire

H Arianne's throwing a party, and she's very worried about it. Fill in the blanks with the correct form of each verb.

40 Je crains que Julie _____ un bon gâteau (ne pas faire). Elle ne sait pas cuisiner!

41 C'est dommage que tu ne _____ pas avec ta copine. (venir)

42. Je ne veux pas que Sébastien et Pascal _____ la table, ils ne savent pas comment faire. (mettre)

43. Loïc m'a dit qu'il apporterait des boissons, mais j'ai peur qu'il _____ des boissons trop sucrées *(sweet)*. (prendre)

44. Ève doit apporter des CD mais je préférerais que vous les _____ avec elle! (choisir)

SCORE _____ /10

I Read this passage and fill in the blanks with a preposition only if necessary.

Mon père veut (45) _____ arrêter (46) _____ fumer. Il a commencé (47) _____ fumer quand il était jeune, et maintenant il a peur (48) _____ être malade. Je lui ai dit que je l'aiderais (49) _____ le faire, mais qu'il devait vraiment essayer (50) _____ s'arrêter. J'espère (51) _____ qu'il va réussir (52) _____ s'arrêter. Il m'a dit (53) _____ ne jamais commencer, mais moi, il y a longtemps que j'avais déjà choisi (54) _____ ne pas fumer.

SCORE _____ /10

EXAMEN

Écrivons

J Write at least three sentences telling about a sport you played, would like to try or would be afraid to try. Tell about your experiences, what you expect it to be like, or why you're afraid to try that sport.

_____

_____

_____

_____

_____

_____

_____

SCORE	/15

K Some of your friends want to go on vacation somewhere you have already visited. Give them advice on what to take with them, what to do once they get there, warn your friends about some things that are dangerous to do, etc. Use the imperative and the subjunctive at least once. Use your imagination!

_____

_____

_____

_____

_____

_____

SCORE	/15

TOTAL SCORE	/100

Answer Key

Vocabulaire 1

A (5 points: 1 point per item)
1. e   4. c
2. d   5. a
3. b

B (5 points: 1 point per item)
6. requins
7. hérons
8. aigle
9. castors
10. chauve-souris

C (10 points: 2 points per item)
11. b   14. f
12. a   15. c
13. e

D (10 points: 2 points per item)
16. Je n'en reviens pas!
17. Quelle horreur!
18. Au secours!
19. Prière de ne pas/Défense de …
20. Défense de/Prière de ne pas…

Grammaire 1

A (5 points: 1 point per item)
1. e
2. a
3. b
4. c
5. d

B (10 points: 1 point per item)
6. pique
7. ait
8. avoir
9. puisse
10. tombe
11. nous perdions
12. vous blesser
13. arrive
14. fasses
15. aies

C (10 points: 2 points per item)
Answers will vary. Possible answers:
16. J'ai peur que tu tombes.
17. Je crains que nous nous perdions.
18. J'ai peur qu'ils te mordent.
19. Je crains que vous parliez trop longtemps.
20. J'ai peur que tu te brûles!

D (10 points: 2 points per item)
Answers will vary. Possible answers:
21. Ne te baigne pas.
22. Ne donnez pas à manger aux animaux.
23. Ne faisons pas de vélo.
24. Faisons attention aux serpents!
25. N'entrez pas dans les grottes.

Application 1

A (10 points: 2 points per item)
1. a
2. a
3. b
4. a
5. a

B (10 points: 2 points per item)
6.
7.
8. X
9.
10. X

C (15 points) Answers will vary. Sample answer:
J'aime regarder des documentaires sur les animaux à la télévision. L'autre jour, j'ai vu un reportage sur les loups. Ces animaux sont vraiment intelligents. Je n'en reviens pas! Etc.

Vocabulaire 2

A (5 points: 1 point per item)

1. c	4. b
2. a	5. d
3. e	

B (5 points: 1 point per item)

6. d	9. b
7. e	10. c
8. a	

C (10 points: 2 points per item)
Answers will vary. Possible answers:

11. à la voile
12. d'alpinisme
13. de plongée sous-marine
14. en VTT
15. de la spéléologie

D (10 points: 2 points per item)
Answers will vary. Possible answers:

16. Va vers l'ouest.
17. L'île à Vache est au sud des Cayes.
18. Va vers l'est.
19. Tu dois aller vers le nord.
20. Va vers le sud.

Grammaire 2

A (10 points: 2 points per item)

1. emmènes	4. amène
2. apportent	5. emportiez
3. apporte	

B (10 points: 2 points per item)
Answers will vary. Possible answers:

6. On apporte des boissons à la fête de Julien.
7. Tu emmènes les enfants au parc.
8. Vous emmenez le chien chez le vétérinaire.
9. Ils m'apportent des croissants.
10. Vous amenez mamie quand vous venez à la maison ce soir?

C (5 points: 1 point per item)

11. de
12. de
13. de
14. -
15. à

D (10 points: 2 points per item)
Answers will vary. Possible answers:

16. d'aller en France.
17. à faire du deltaplane.
18. de donner à manger à mon chien.
19. d'étudier régulièrement.
20. aller camper cet été.

Application 2

A (10 points: 2 points per item)

1. d
2. e
3. b
4. c
5. a

B (10 points: 2 points per item)

6. a
7. b
8. a
9. a
10. a

C (15 points) Answers will vary. Sample answer:

—Jérôme va apporter des boissons. Francine va amener son cousin. Loïc va apporter des CD et des chaises. Laure va amener des copains. Et Manon m'a dit qu'elle apporterait un gâteau. Tu as besoin d'autre chose?

—Oui, demande à Barnabé d'amener son copain espagnol parce que Juan sera là et il ne parle pas français. Etc.

Answer Key

Géoculture

A (5 points: 1 point per item)

1. b   4. a
2. c   5. a
3. a

B (5 points: 1 point per item)

6. e   9. d
7. c   10. b
8. a

C (10 points: 2 points per item)

11. Québec
12. Louisiane/Nouvelle-Orléans
13. Haïti
14. Acadiens
15. Canada/Manitoba

D (10 points: 2 points per item) Answers will vary. Possible answers:

16. C'était le général de l'armée des esclaves haïtiens. Il a déclaré l'indépendance d'Haïti.
17. C'est un explorateur qui a pris possession du territoire de la Louisiane.
18. C'est un dictateur qui s'est déclaré président à vie d'Haïti en 1964.
19. Il a vendu la Louisiane aux États-Unis pour 15 millions de dollars en 1803.
20. C'est l'explorateur qui croyait être en Inde quand il est arrivé sur cette île.

Lecture

A (10 points) Answers will vary. Sample answer:
En lisant ce poème, j'ai envie d'aller nager là où il y a des dauphins. Je crois qu'ils me sauveraient s'il y avait des requins.

B (10 points: 2 points per item)

1. a
2. a
3. b
4. b
5. b

C (15 points) Answers will vary. Sample answer.

Je n'ai jamais vu d'animal sauvage. L'animal que je rêve de voir c'est une baleine. J'aimerais nager avec des baleines, mais malheureusement, c'est interdit.

Écriture

A (20 points) Answers will vary. Possible answer:

Cédric   Je meurs de soif et il fait tellement chaud.

Jeanne   Allez, encore un petit effort. On y est presque!

Cédric   J'espère que ça en vaut la peine.

Jeanne   Écoute, il y a des oiseaux que tu n'as jamais vus dans ce bayou, et que tu ne reverras sans doute jamais.

Cédric   Bon, d'accord.

B (15 points) Answers will vary. Possible answer:
Fais attention aux chauves-souris quand tu visiteras les grottes. Et surtout, ne les nourris pas! Et ne va pas non plus nager là où il y a des requins!

Answer Key

Écoutons

A (5 points: 1 point per item)
1. b
2. c
3. d
4. e
5. a

B (5 points: 1 point per item)
6. b
7. a
8. a
9. b
10. b

Lisons

C (5 points: 1 point per item)
11. c
12. b
13. a
14. c
15. a

D (10 points: 2 points per item)
Answer will vary. Possible answers:
16. On parle d'alpinisme.
17. Il a eu le vertige.
18. Il s'est arrêté et il a regardé devant lui.
19. Il est à deux jours du sommet.
20. Non, les autres l'attendaient.

Culture

E (5 points: 1 point per item)
21. b
22. b
23. b
24. a
25. a

Vocabulaire

F (10 points: 1 point per item)
26. deltaplane
27. voile
28. rapides
29. masque
30. VTT
31. méfie, piquent
32. interdit
33. tropical
34. espèce

G (10 points: 2 points per item)
35. d
36. c
37. e
38. b
39. a

Grammaire

H (10 points: 2 points per item)
40. ne fasse pas
41. viennes
42. mettent
43. prenne
44. choisissiez

I (10 points: 1 point per item)
45. -
46. de
47. à
48. d'
49. à
50. de
51. -
52. à
53. de
54. de

Écrivons

J (15 points) Answers will vary. Sample answer:

J'aimerais bien faire du parachutisme, mais j'ai peur d'avoir le vertige quand il faut sauter de l'avion. Etc.

K (15 points) Answers will vary. Sample answer:

Si vous allez au Grand Canyon, il faudrait que vous emportiez une tente pour camper. J'ai peur qu'il ne soit pas possible de trouver une chambre d'hôtel si vous n'avez pas fait de réservation. Si vous voulez descendre au fond du canyon, surtout n'oubliez pas d'emporter quelque chose à boire ou à manger avec vous. Etc.

Scripts: Quizzes

Application 1

A **Mme Roy** Amuse-toi bien en vacances, Julianne, mais fais attention. Surtout, écoute bien le guide. Il y a des animaux sauvages dans ces parcs!

Julianne Mais papa m'a dit de faire des photos des ours et des loups si on en voit.

Mme Roy Non! Surtout ne va pas tout près de ces animaux!

Julianne Mais…

Mme Roy Ils sont très dangereux! J'ai peur qu'ils te blessent!

Julianne D'accord.

Mme Roy Et méfie-toi aussi des moustiques. N'oublie pas de mettre de la lotion.

Julianne Oui, maman.

Mme Roy Je crains que tu ne fasses pas attention à ce que je te dis.

Julianne Si, maman.

Mme Roy Allez, fais-moi un bisou avant de partir.

Julianne Salut, maman.

Application 2

A 1. —Quand est-ce qu'on se repose? Je n'en peux plus!

—Allez, encore un petit effort, les filles!

2. —Tu aimerais faire du parachutisme?

—Quoi? Sauter d'un avion? Oh non, ce n'est pas un sport pour moi. J'ai le vertige!

3. —Je n'en peux plus! J'ai peur de tomber!

—Courage! Tu verras, ça en vaut la peine. En haut de la montagne, on a une belle vue de toute la région.

4. —Il fait tellement chaud!

—C'est dommage que tu n'aies pas apporté ton maillot de bain! On aurait pu aller nager.

5. —Je crains que nous soyons perdus!

—Mais non, si on va à l'est, on y est presque!

Examen

A 1. Martin a vraiment envie de descendre des rapides, mais sa mère lui conseille de trouver un sport moins dangereux.

2. Cette année, j'ai fait de la plongée et j'ai vu plein de corail.

3. Luc est descendu dans des grottes. Moi, je ne pourrais jamais faire ça! J'ai trop peur des chauves-souris!

4. Tanguy est parti faire de l'alpinisme. Heureusement il n'a pas le vertige!

5. Murielle avait raison de ne pas vouloir aller faire du vélo tout terrain avec les copains de Loïc. Elle est tombée et elle s'est fait vraiment mal!

B   **Cyril**   Allez, Zoë, encore un petit effort et on y est!

    Zoë   J'ai tellement froid! Et puis c'est trop loin.

    Cyril   Mais le Château Frontenac est juste un peu plus haut. Viens!

    Zoë   J'ai peur de tomber sur cette glace...!

    Cyril   Fais attention et tu ne tomberas pas.

    Zoë   Ah...! Nous voilà arrivés!

    Cyril   Je t'avais dit.

    Zoë   Quelle vue! Tu as raison, ça en vaut la peine.

    Cyril   Eh oui! Allez, viens… on continue.

    Zoë   Qu'est-ce que tu dis?

    Cyril   Tu ne penses pas qu'on va s'arrêter ici? Ah, non, il y a bien trop de choses à voir à Québec.

    Zoë   Ah non! Je n'en peux plus!

Examen partiel

Écoutons

A Listen to each sentence and match it with the appropriate drawing.

a.

b.

c.

d.

_____ 1.

_____ 2.

_____ 3.

_____ 4.

| SCORE | /4 |

B Listen to each of the following statements and then decide whether the person is
a) giving advice, **b)** making plans, **c)** talking about likes or dislikes,
d) telling a story, **e)** giving a warning, or **f)** seeing an old friend again.

_____ 5.

_____ 6.

_____ 7.

_____ 8.

_____ 9.

_____ 10.

| SCORE | /6 |

EXAMEN PARTIEL CHAPITRES **1–5**

Lisons

C Read Yasmin's side of the telephone conversation and then answer the questions below.

«Allô, Maman? C'est moi, Yasmin. Ça va? Oui, oui, tout va bien. Écoute, j'ai une bonne nouvelle: je vais me marier. Mais avec Jalil, qu'est-ce que tu crois?! Non, je n'ai pas encore téléphoné à papa, je voulais que tu l'entendes la première. Non, on n'a pas encore décidé la date. Qu'en penses-tu? Oui, le 13, ça pourrait marcher… mais attends, le 13 août?! Maman, c'est dans quinze jours. Non c'est impossible! Il faut tout préparer! Oui, bien sûr que je vais inviter toute la famille. Oui, et celle de Jalil… franchement, maman! Alors, voyons, nous serons… une cinquantaine de personnes. Oui, c'est beaucoup, mais que veux-tu qu'on fasse? Les familles sont grandes. Mais oui, je vais inviter papa. Mais si, maman. Mais c'est mon père! Écoute, on n'en parle plus. Maman, est-ce que tu pourrais nous faire le gâteau? Je ne veux que ça. Mais si, tu en fais d'excellents. Ah bon? Eh bien, tu dis à Karima de t'aider. Il faut que tu commences à lui faire faire les courses! Elle a 16 ans, elle peut très bien s'en occuper. Écoute, maman, il faut que j'y aille, mais je t'appellerai bientôt. Allez, maman, au revoir».

_____ 11. De quoi parlent-elles, Yasmin et sa mère?
   a. de fêtes b. d'un mariage c. de vacances

_____ 12. Quand est-ce que la cérémonie va avoir lieu?
   a. avant le week-end b. le 13 c. ce n'est pas décidé

_____ 13. Les parents de Yasmin sont sans doute…
   a. divorcés b. malades c. très riches

_____ 14. Qui est Karima?
   a. la cuisinière b. l'infirmière c. la petite sœur

| SCORE | /4 |

EXAMEN PARTIEL   CHAPITRES **1—5**

Lisons

D Read this visitor's guide and then state whether each suggestion below it is
a) conseillé or **b) interdit**.

BIENVENUE AU PARC NATUREL DE LA LOUISIANE
POUR UNE VISITE TRANQUILLE, SUIVEZ NOS CONSEILS:
<u>RÈGLEMENT DU PARC</u>

- Prière de fermer portes et fenêtres à clé en sortant de votre cabine.
- Il est interdit de se baigner dans les bayous.
- Il est défendu de camper dans le parc.
- Défense de nourrir les animaux.
- Interdiction de toucher aux animaux et de cueillir les plantes du parc. Les employés du parc regarderont toutes les voitures à la sortie du parc.
- Il y a des insectes partout en cette saison. Mettez votre lotion anti-moustiques avant de sortir. Ne marchez pas pieds nus.
- Si vous êtes en canoë et que vous voyez un alligator dans le bayou, surtout restez calmes. Si vous en voyez un sur la terre ferme, dans le parc, rentrez tout de suite dans votre cabine et appelez le service du parc (le «0»).

_____ 15. Allons nager en attendant que papa et maman reviennent!

_____ 16. Si on donnait nos sandwichs à ces pélicans?

_____ 17. Je mets de la lotion et des chaussures avant de sortir!

_____ 18. Le week-end prochain, je vais revenir ici avec des copains et on va apporter notre tente.

_____ 19. Restons bien dans le bateau pour que l'alligator ne nous morde pas.

_____ 20. Ne peut-on pas emporter cette toute petite grenouille?

SCORE ___ /6

EXAMEN PARTIEL

Culture

E Choose the correct response to complete each of the following statements.

_____21. Pour travailler comme moniteur de ski, il faut avoir son _____.
a. baccalauréat   b. monitorat   c. CV

_____22. Si tu envoies ton CV en France, tu dois aussi mettre ta _____.
a. photo   b. signature   c. taille

_____23. La partie ancienne des villes arabes s'appelle _____.
a. le griot   b. la médina   c. le souk

_____24. Dans un parc français, _____ est souvent interdite.
a. la promenade   b. la pelouse   c. le pique-nique

_____25. Au Mali, c'est _____ qui gère l'argent des salaires.
a. le chef de famille   b. la mère   c. le souverain

SCORE	/5

Vocabulaire

F Match the professions on the left to a place on the right

_____26. informaticien

_____27. vendeur

_____28. mécanicien

_____29. agriculteur

_____30. infirmier

_____31. instituteur

a. un garage
b. un magasin
c. un hôpital
d. une école
e. une société
f. une ferme
g. une bibliothèque

SCORE	/6

EXAMEN PARTIEL CHAPITRES **1—5**

Vocabulaire

G Fill in the blanks to complete each sentence logically.

32. J'aime lire, alors je vais souvent _____.

33. Moi, depuis que j'ai mon caméscope, _____.

34. Lise vient de recevoir une guitare, et _____.

35. Nous sommes sportifs, alors nous _____.

36. Vous adorez les films, alors vous _____.

SCORE   /5

H Write questions that would prompt the following answers.

37. _____ ?

    Désolé, je n'ai pas le temps.

38. _____

    Quand j'aurai fini mes études, ça me plairait d'être traducteur ou interprète.

39. _____

    Un instant, je vous la passe.

40. _____

    Figure-toi qu'on a rompu! Je ne le vois plus.

41. _____

    Allez, encore un petit effort

SCORE   /10

I Complete this story with words that you have learned.

Il était une (42) _____, une princesse qui était prisonnière dans une

(43) _____. Son père le (44) _____, l'y avait mise. Mais, sa

mère, la reine qui avait des pouvoirs (45) _____, fit sortir sa fille, et elles

partirent ensemble dans un pays (46) _____où le roi ne les trouva

jamais. La (47)_____ de cette histoire est que parfois, le héros est une

héroïne!

SCORE   /6

Grammaire

J Choose the verb that best completes each sentence.

_____48. —À quelle heure faut-il que tu _____ à la gare?

  a. sois   b. es   c. seras

_____49. —Si j'_____ que tu venais, j'aurais attendu.

  a. savais   b. avais su   c. ai su

_____50. —S'il vous plaît! _____-vous où on peut ranger ses affaires?

  a. Saviez   b. Sachez   c. Sauriez

_____51. —Je crains que tu n'arrives pas à étudier en _____ la radio!

  a. écoutant   b. écouter   c. écoutes

_____52. —Quand tu liras cette lettre, je _____ déjà _____.

  a. aurais/parti   b. vais/partir   c. serai/parti

SCORE _____ /5

K Write an imperative sentence telling each person what to do.

53. vous: prendre beaucoup de photos

_____

54. nous: ne pas manger trop

_____

55. toi: avoir de la patience

_____

56. nous: faire la sieste

_____

57. Julie: ne pas être énervant

_____

SCORE _____ /10

EXAMEN PARTIEL　　　　　　　　　　　　　　　　CHAPITRES **1–5**

Grammaire

L Rewrite the following sentences in the past tense.

58. Où est-ce que vous vous mariez?

_____

59. Nous nous parlons tous les soirs au téléphone.

_____

60. Jules et son frère se disputent.

_____

61. On se donne rendez-vous devant l'église.

_____

| SCORE /8 |

M Rewrite these sentences as indirect discourse. Begin with **Tu savais que, J'ai entendu dire que, Il paraît que** or **Figure-toi que**. Use each beginning at least once.

62. Nous n'avons pas cours aujourd'hui.

_____

63. La prof de portugais ne veut pas revenir du Brésil.

_____

64. On va devoir engager un nouveau professeur.

_____

65. C'est un grand joueur d'échecs.

_____

66. Il a même gagné une compétition à Moscou.

_____

| SCORE /10 |

EXAMEN PARTIEL   CHAPITRES **1—5**

Écrivons

N Write complete sentences to answer the following questions.

67. Qu'est-ce qui te plaît le plus au lycée?

   _____

68. Quand est-ce que tu as commencé à étudier le français?

   _____

69. Si tu ne devais pas aller à l'école, que ferais-tu?

   _____

70. Que dirais-tu à quelqu'un que tu n'as pas vu depuis longtemps?

   _____

71. Quel animal sauvage aimerais-tu voir? Pourquoi?

   _____

SCORE   /10

O Write a note introducing yourself to the Director of Human Resources of a French business at which you would like to do an internship next summer. Mention your interests, your career plans and why you think you could be useful.

   _____

   _____

   _____

   _____

   _____

   _____

   _____

   _____

   _____

   _____

SCORE   /5

TOTAL SCORE   /100

Écoutons

A (4 points: 1 point per item)
1. c
2. b
3. d
4. a

B (6 points: 1 point per item)
5. c
6. d
7. a
8. f
9. b
10. e

Lisons

C (4 points: 1 point per item)
11. b
12. c
13. a
14. c

D (6 points: 1 point per item)
15. b
16. b
17. a
18. b
19. a
20. b

Culture

E (5 points: 1 point per item)
21. b
22. a
23. b
24. c
25. b

Vocabulaire

F (6 points: 1 point per item)
26. e
27. b
28. a
29. f
30. c
31. d

G (5 points: 1 point per item) Answers will vary. Possible answers:
32. à la bibliothèque/au CDI/à la librairie
33. je fais de la vidéo amateur
34. elle apprend à en jouer
35. jouons au foot/faisons du vélo/sommes en forme/etc.
36. allez souvent au cinéma/regardez souvent des films/etc.

H (10 points: 2 points per item) Answers will vary. Possible answers:
37. Pourquoi on n'irait pas au cinéma ce soir?
38. Qu'est-ce que tu voudrais faire comme métier plus tard?
39. Est-ce que je pourrais parler à Salima?
40. Comment va Christophe?
41. Je n'en peux plus!

I (6 points: 1 point per item)
42. fois
43. tour
44. roi
45. magiques
46. lointain
47. morale

Grammaire

J (5 points: 1 point per item)
48. a
49. b
50. c
51. a
52. c

K (10 points: 2 points per item)
53. Prenez beaucoup de photos.
54. Ne mangeons pas trop.
55. Aie de la patience.
56. Faisons la sieste.
57. Ne sois pas énervante.

L (8 points: 2 points per item)
58. Où est-ce que vous vous êtes mariés?
59. Nous nous parlions tous les soirs au téléphone.
60. Jules et son frère se sont disputés.
61. On s'est donné rendez-vous devant l'église.

M (10 points: 2 points per item) Answers will vary. Possible answers:
62. Tu savais que nous n'avions pas cours aujourd'hui?
63. J'ai entendu dire que la prof de portugais ne voulait pas revenir du Brésil.
64. Figure-toi qu'on va devoir engager un nouveau professeur.
65. Il paraît que c'est un grand joueur d'échecs.
66. J'ai entendu qu'il avait même gagné une compétition à Moscou.

Écrivons

N (10 points: 2 points per item) Answers will vary. Possible answers:

67. Les cours qui me plaisent le plus c'est le français et l'histoire.

68. J'ai commencé à étudier le français au collège.

69. Le matin, je monterais à cheval. Ensuite, j'écrirais des chansons. Le soir, je cuisinerais.

70. Ça fait longtemps qu'on ne s'est pas vus. Quoi de neuf?

71. J'aimerais voir des loups. Je trouve que ce sont des animaux passionnants. J'aimerais aller visiter un parc au Canada pour en voir.

O (5 points) Answers will vary. Possible answer:

Madame,

Je vous écris parce que je suis étudiante en art et que, dans le cadre de ma formation, je voudrais faire un stage dans votre musée pendant les vacances scolaires. Je suis américaine, mais je parle bien le français, l'ayant étudié pendant plusieurs années.
Vous pouvez m'appelez au 03.79.45.63.

Je vous prie d'agréer, Madame, l'expression de mes sentiments distingués.

Camille

Scripts: Examen partiel

Écoutons

A 1. —Mes parents se sont mariés en 1981.

2. —Si tu vois un ours, il faut surtout rester à plus de 50 mètres de lui...

3. —Plus tard, moi, je voudrais devenir musicienne.

4. —Allez, encore un petit effort! Nous y sommes presque!

B 5. —Moi, je n'aime pas beaucoup la chimie, mais j'adore le français.

6. —Jadis, dans une tribu reculée, un sultan demanda des conseils à son vizir.

7. —À mon avis, tu devrais téléphoner à ta mère et lui dire ce qui s'est passé. Elle va comprendre!

8. —C'est toi, Lucien? Je n'en reviens pas!… Ça fait des années! Quoi de neuf?

9. —Dites, qu'est-ce qu'on fait après l'examen? Moi, j'ai envie d'aller faire un tour à vélo, pas vous?

10. —Méfiez-vous des guêpes, ça fait mal quand elles piquent!

Vocabulaire 1

A Look at this image and then identify the numbered items on the lines below.

1. _____
2. _____
3. _____
4. _____
5. _____

SCORE ____ /5

B Underline the correct word in each sentence.

6. Certains (magazines / kiosques) paraissent tous les mois.

7. Le (mensuel / marchand) n'avait pas le dernier numéro.

8. La prof nous a conseillé de nous (abonner / paraître) à ce journal.

9. Dans la presse (à sensation / spécialisée), on peut trouver des renseignements pour son métier.

10. Les (hebdomadaires / quotidiens) paraissent toutes les semaines.

SCORE ____ /5

QUIZ: VOCABULAIRE 1

C Tanguy and Ali are speaking about one of their friends. Complete their conversation using the words from the box below, making any necessary changes.

certain	la une	penser	douter	revue	article	marchand

Tanguy J'ai vu Pascale hier chez le (11) _____ de journaux. Je pense qu'elle achetait une (12) _____ de science-fiction!

Ali Tu crois? Je ne (13) _____ pas qu'elle aime ce genre de magazine.

Tanguy Je suis (14) _____ que c'était elle!

Ali Je (15)_____ que cela soit vrai.

SCORE   /10

D React to the statements below using expressions of doubt, certainty or possibility.

16. Je t'ai vu à la bibliothèque hier.

    Ça _____! Je ne suis pas sorti hier. (doute)

17. Tu as lu le dernier roman de Paul Édouard? Il est vraiment génial!

    Oui, il _____ qu'on en fasse un film! (possibilité)

18. Fabienne est devenue rédactrice du journal *Passe-partout*.

    C'est très bien! Je suis _____ qu'elle sera une excellente rédactrice! (certitude)

19. Regarde! C'est Aline qui est à côté du champion de natation sur cette photo.

    Je ne _____ pas que ce soit Aline. C'est quelqu'un qui lui ressemble *(resembles)*! (doute)

20. Mes sœurs m'ont abonné à une revue de cuisine. Elles sont _____ que j'aimerai ça! (certitude)

SCORE   /10

TOTAL SCORE   /30

Grammaire 1

A Complete the sentences with the correct form of the verb in parentheses.

1. Il se peut qu'il _____ ce soir. (venir)

2. Il a cru que _____ déjà partie. (être)

3. Je suis sûr qu'il _____ mauvais demain. (faire)

4. Maman doute que ce/c' _____ une bonne idée. (être)

5. Ça m'étonnerait qu'elle _____ répondre à cette question. (pouvoir)

SCORE /5

B Fill in the blanks using the correct form of **croire** or **paraître**.

6. Moi, je ne _____ pas ce que je lis dans les journaux à sensation.

7. Il est très jeune, mais déjà, il ne _____ pas aux monstres.

8. Cette revue ne _____ que tous les trois mois.

9. J'ai _____ que cette revue serait plus intéressante.

10. Il est impossible que ces gens _____ cette histoire!

11. Ces quotidiens _____ en français et en anglais.

12. Les articles qui _____ dans ces revues sont toujours sérieux.

13. _____-vous aux extraterrestres?

14. Nous _____ qu'il va s'abonner à cette revue.

15. Ce magazine _____ la semaine dernière. Ce n'est pas le dernier numéro.

SCORE /10

C Read the headlines below and then say whether you believe them or not. Use at least four different expressions in your answers.

16. UN ENFANT NAÎT EN SACHANT PARLER

_____

17. DES FRÈRES JUMEAUX SONT NÉS EN AVION

_____

18. DES EXTRATERRESTRES HABITENT DANS MON IMMEUBLE

_____

19. UN HOMME FÊTE SON CENTIÈME ANNIVERSAIRE

_____

20. CE CHAT AIME L'EAU ET SAIT NAGER

_____

| SCORE | /10 |

D Use the subjunctive to show that you doubt or disagree with the statements below.

21. Je suis certaine que ce marchand de journaux a cette revue.

_____

22. Je pense que cet article est très bien écrit.

_____

23. Il est possible que Marc vienne jouer au tennis avec nous.

_____

24. Il se peut que ce livre paraisse cet été.

_____

25. Je suis certain(e) que tu aimeras ce livre.

_____

| SCORE | /10 |

| TOTAL SCORE | /35 |

Application 1

Écoutons

A Listen to the conversation and decide if the statements below are **a) vrai** or **b) faux**.

_____ 1. Astrid est persuadée que le kiosque est ouvert.

_____ 2. Damien pense qu'on y vend la revue qu'ils cherchent.

_____ 3. Astrid doute que ce soit la même revue.

_____ 4. Damien ne croit pas que ce soit celle dont ils parlaient.

_____ 5. Il y a deux revues qui ont le même nom.

| SCORE | /10 |

Lisons

B One of your most valuable paintings has been stolen! The ransom note has been torn up and pasted back together, and some crucial information is missing. Use **quelqu'un, quelque chose, quelquefois** or **quelque part** to replace the missing information logically.

> *Nous avons (6)_____ qui vous appartient (belongs to you). Ce soir (7)_____ vous attendra (8)_____ derrière le laboratoire. Vous lui donnerez l'argent. Mais, attention, il y a (9)_____ que vous devez savoir: (10)_____, il y a des gens au laboratoire qui travaillent tard le soir. Ne vous faites surtout pas voir.*

| SCORE | /10 |

QUIZ: APPLICATION 1   CHAPITRE **6**

Écrivons

C You're watching the World Cup soccer tournament with your friends, and the French are finalists. Write a five-line conversation in which you and your friends argue about who you believe will win, and whom you doubt will do well and why.

_____

_____

_____

_____

_____

_____

_____

_____

_____

_____

SCORE	/15

TOTAL SCORE	/35

Vocabulaire 2

A Match the newspaper headlines on the left with the section in which you'd find them on the right.

_____ 1. 3 morts et 19 blessés dans un accident d'avion

_____ 2. Le Brésil remporte la victoire 1-0

_____ 3. Maison de campagne à louer

_____ 4. Du soleil pour le week-end

_____ 5. Baisse du chômage

| a. Économie |
| b. Météo |
| c. Sports |
| d. Culture |
| e. Faits divers |
| f. Petites annonces |

SCORE _____ /5

B It is the weekend, and Denis and Annie are reading the paper together. Fill in the blanks using the words provided.

| sports | colère | météo | actualités | grève | culture | succès |

Denis Tu n'as pas vu la (6)_____? Je veux savoir s'il va faire beau parce que je veux aller à la pêche demain.

Annie La voilà. Oui, il y aura du soleil. Tiens, regarde cette critique dans la rubrique (7)_____. C'est la critique du film que je voudrais aller voir cet après-midi.

Denis Attends! Je viens de voir dans les (8)_____ que mon équipe va jouer en fin d'après-midi et que ça passe à la télé.

Annie Bon. Passe-moi les (9)_____, s'il te plaît. Je vais lire les nouvelles de A à Z!

Denis Oh, oh. Maintenant tu es en (10)_____!

SCORE _____ /5

Nom _____ Classe _____ Date _____

C Choose the most logical answer.

_____11. _____ qui j'ai vu chez Alice hier.

   a. Tu sais quoi   b. Devine   c. Fais voir

_____12. Ce n'est pas possible! _____ de ce qui lui est arrivé?

   a. Raconte   b. Tu es au courant   c. Je t'écoute

_____13. Non, _____ passé?

   a. Fais voir   b. Montre-moi   c. Qu'est-ce qui s'est

_____14. Elle a remporté _____!

   a. une grève   b. un accident   c. une médaille

_____15. C'est une belle _____!

   a. succès   b. victoire   c. record

SCORE   /10

D Choose **qui est-ce qui, qui est-ce que, qu'est-ce qui** or **qu'est-ce que** to complete the following sentences:

16. _____ a remporté la médaille d'or?

17. _____ tu as enregistré comme musique?

18. De _____ cet article parle?

19. _____ est arrivé à ce joueur?

20. _____ tu racontes?

SCORE   /10

TOTAL
SCORE   /30

Grammaire 2

A Match the statements on the left with the sentences on the right.

_____ 1. J'ai donné mes magazines à ma tante.

_____ 2. J'ai donné du chocolat à Sylvain.

_____ 3. J'ai donné la revue à mes amis.

_____ 4. J'ai donné le journal à papa.

_____ 5. J'ai donné des bonbons aux enfants.

a. Je leur en ai donné.
b. Je les lui ai donnés.
c. Je le lui ai donné.
d. Je les leur ai donnés.
e. Je lui en ai donné.
f. Je la leur ai donnée.

SCORE _____ /5

B Choose the correct pronoun to complete each sentence.

_____ 6. La patineuse a remporté la médaille d'or. Elle _____ a remportée.

a. la   b. l'   c. en

_____ 7. Le ministre a parlé du chômage. Il _____ a parlé.

a. en   b. le   c. l'

_____ 8. Nous avons vu les tableaux que les voleurs ont pris. Nous _____ avons vus.

a. les   b. en   c. leur

_____ 9. Tu as parlé de tes idées à la rédactrice? Tu _____ en as parlé?

a. l'   b. la   c. lui

_____ 10. Cette maison était dans les petites annonces. Elle _____ était.

a. en   b. y   c. l'

SCORE _____ /10

QUIZ: GRAMMAIRE 2   **CHAPITRE 6**

C Answer these questions using the cues provided. In each response, replace the underlined words with pronouns.

11. Donnez-vous <u>ces livres</u> <u>à Julien</u>? (oui)

    _____

12. <u>Tes copains</u> ont-ils vu <u>le dernier film d'Audrey Tatou</u>? (non)

    _____

13. Est-ce que <u>le plombier</u> a réparé <u>le robinet de ta douche</u>? (oui)

    _____

14. Est-ce qu'ils <u>vous</u> ont dit <u>ce qui était arrivé à Louis</u>? (oui)

    _____

15. Tu as rendu <u>les jeux vidéo</u> <u>à tes cousins</u>? (non)

    _____

SCORE _____ /10

D Write the correct question for each answer given, starting with **qui est-ce qui, qu'est-ce qui, qui est-ce que** or **qu'est-ce que**.

16. _____

    On va nous présenter le champion!

17. _____

    C'est Laure qui a pris ta revue.

18. _____

    Je veux aller voir le dernier film de Spielberg.

19. _____

    Je ne connais personne à Québec.

20. _____

    Il ne se passe rien — on est en grève.

SCORE _____ /10

TOTAL
SCORE _____ /35

Application 2

Écoutons

A Listen to five brief newscasts and match each one to an image below.

a.

b.

c.

d.

e.

_____1.   _____2.   _____3.   _____4.   _____5.

SCORE   /10

Lisons

B Read this news report and then indicate whether each statement is **a) vrai** or
b) faux.

> Les employés de *Gazeco* sont en grève depuis ce matin après l'accident qui a eu lieu
> et qui a fait cinq morts et onze blessés. Ils demandent de meilleures conditions de
> travail. «Ce n'est pas la première fois qu'un accident se produit» a déclaré Martine
> Hubert, une employée qui travaille pour cette compagnie depuis 19 ans. «Mais c'est
> bien la première fois qu'il y a des victimes. Il faut que le ministre du Travail fasse
> quelque chose.» Derrière elle, une foule en colère demandait des explications. Le
> ministre n'a pas répondu aux questions de la presse.

_____ 6. Cinq personnes ont été blessées dans l'accident.

_____ 7. Ce n'est pas la première fois qu'un accident arrive dans cette
compagnie.

_____ 8. La grève dure déjà depuis quelques semaines.

_____ 9. Mme Hubert est ministre du Travail.

_____ 10. Le ministre a parlé aux journalistes.

SCORE   /10

QUIZ: APPLICATION 2   CHAPITRE **6**

Écrivons

C Imagine you've just moved to another country for a great job. The only trouble is, you don't know anyone, you don't know how to get anywhere and you don't have an apartment. Write at least five sentences about these problems using the expressions **ne…rien, nulle part, personne, aucun, jamais, plus, pas encore.**

_____

_____

_____

_____

_____

_____

_____

_____

_____

_____

_____

SCORE	/15

TOTAL SCORE	/35

Lecture

A As you read this text, try to figure out the words you don't know. Do they remind you of any French or English words you do know? Then answer the question.

Le football ou «foot» est le sport le plus pratiqué au monde. Le football est pratiqué par 242 millions de personnes dont 22 millions de femmes. Aux États-Unis il y a 17,9 millions de pratiquants, dont 40% sont des femmes.

Les règles du jeu. Un match est composé de deux périodes de 45 minutes chacune. Il y a trois zones de jeu: l'attaque, le milieu du terrain et la défense. Deux équipes de onze joueurs chacune se battent pour avoir le ballon et pour marquer des buts. Quand une équipe marque un but, elle gagne un point. La victoire dépend de la stratégie d'équipe. Le football a ses stars, dont Pelé est le plus connu, mais les meilleures équipes sont celles qui travaillent le mieux ensemble.

La Coupe du monde est une compétition de football qui a lieu tous les quatre ans. Des équipes du monde entier y participent. La prochaine Coupe du monde aura lieu en 2010.

Comment sais-tu qu'on ne parle pas de football américain mais de «soccer»?

_____

| SCORE | /20 |

B Based on the reading, choose the best word to complete each of these sentences.

1. Dans un match de foot, il y a (onze / vingt-deux) joueurs.

2. Le match dure (quarante-cinq / quatre-vingt-dix) minutes.

3. C'est le sport le plus pratiqué (au monde / aux États-Unis).

4. La dernière Coupe du monde a eu lieu en (2004 / 2006).

5. Le football, c'est un jeu (d'ensemble / d'individus).

| SCORE | /10 |

C Aimes-tu jouer au foot ou regarder un match de foot? Pourquoi ou pourquoi pas?

_____

_____

| SCORE | /20 |

| TOTAL |
| SCORE | /50 |

Écriture

A Write a conversation of five lines or more in which you're trying to get information from a man on the phone about a strike. Include the structures **qui est-ce qui, qu'est-ce qui, qu'est-ce que** and/or **qui est-ce que**.

_____

_____

_____

_____

_____

_____

_____

_____

_____

_____

SCORE	/25

B Write a news article about an event that occured in your town. Include details such as when it took place, who was involved, whether anyone was hurt, etc.

_____

_____

_____

_____

_____

_____

_____

_____

_____

SCORE	/25

TOTAL SCORE	/50

La presse

Écoutons

A Listen to the newscast and then answer these questions.

_____ 1. Qui est-ce qu'on a arrêté?
a. des artistes   b. des tableaux   c. des voleurs

_____ 2. Qu'est-ce qu'ils voulaient emporter?
a. une collection   b. un tableau   c. des bijoux

_____ 3. Qui est-ce qui a fait cette œuvre?
a. un Canadien   b. un Américain   c. un Haïtien

_____ 4. Où est-ce que cela se passe?
a. au musée   b. en Amérique   c. dans le train

_____ 5. Qui est-ce qu'ils ont appelé?
a. leurs avocats   b. le juge   c. les voleurs

SCORE _____ /10

B Listen to the conversation and then answer the questions in complete sentences using the negative expressions shown in the box.

ni... ni	**ne... personne**	**ne... rien**
ne... plus	**ne... nulle part**	**ne... aucun**

6. Qu'est-ce que Coralie a envie de faire?

_____

7. Est-ce qu'elle veut aller au musée ou au cinéma?

_____

8. Où est-ce qu'elle veut aller?

_____

9. Est-ce qu'il y a quelqu'un chez Sébastien?

_____

10. Quelle idée de Xavier plaît à Coralie?

_____

SCORE _____ /10

EXAMEN   CHAPITRE **6**

Lisons

C Read this letter and then complete the sentences below correctly.

Vincent,

On m'a dit que tu vas fêter tes 21 ans au restaurant ce soir! Malheureusement, il se peut que je ne puisse pas venir. Tu sais que je suis devenu rédacteur en chef du journal et le premier numéro va paraître demain matin! Il est possible que je passe la nuit à travailler, avec toute l'équipe du journal! Je trouve mon nouveau travail passionnant et je suis sûr que tu comprendras que je fasse passer le boulot avant tout.

Je suis persuadé que nous aurons le temps de discuter de tout ça – ainsi que de tes nouvelles à toi! – très bientôt.

Mathias

11. Mathias (pense / doute) qu'il ne pourra pas aller à l'anniversaire de Vincent.

12. Il (pense devenir / est devenu) rédacteur du journal.

13. Il (doute / se peut) qu'il travaille toute la nuit.

14. Il est (sûr / possible) de voir Vincent bientôt.

15. Il (pense / doute) que Vincent comprendra.

SCORE	/5

D Read this article and then indicate whether the statements below are **a) vrai** or **b) faux**.

Journée de la femme

La Tribune du jour, jeudi 9 mars

La 21e Journée internationale de la femme a été célébrée mercredi, en présence de la présidente et de ses invitées. Cette fête a été l'occasion de spectacles qui ont plu aux 4.000 femmes présentes au défilé, venues de tout le pays. Le défilé était mené par plusieurs ministres, dont madame le ministre de la Promotion de la femme et de la famille, le ministre des Affaires sociales et le ministre de la Recherche scientifique et du développement.

_____ 16. La présidente n'a pas pu venir au défilé.

_____ 17. Il y a eu environ 4.000 femmes qui ont assisté au défilé.

_____ 18. Elles ont bien aimé les spectacles.

_____ 19. Les ministres sont tous des hommes.

_____ 20. Cet article fait partie de la rubrique Culture.

SCORE	/5

EXAMEN   CHAPITRE **6**

Culture

E Choose what best completes each sentence.

_____21. Au Québec, pour devenir journaliste, il…

      a. faut avoir une carte de journaliste.

      b. faut avoir fait l'école de journalisme.

      c. ne faut rien.

_____22. Les journalistes québécois…

      a. sont engagés tout de suite.

      b. commencent à travailler à la pige.

      c. commencent par faire un stage.

_____23. Les blogs professionnels partagent des commentaires…

      a. de la société.

      b. de spécialistes.

      c. d'ados.

_____24. Les langues officielles d'Haïti sont…

      a. le français et l'anglais

      b. l'anglais et le créole

      c. le créole et le français

_____25. Le blog est un…

      a. cyberjournal.

      b. journal français publié aux États-Unis.

      c. langage texto.

SCORE _____ /5

Vocabulaire

F Write the name of the newspaper section where these items would be found.

26. Une vague de froid s'est abattue dans le sud-ouest. _____

27. L'équipe canadienne a remporté une médaille d'or. _____

28. La grève du métro a duré tout le week-end. _____

29. Le chômage est en baisse. _____

30. Je vous écris au sujet d'un article paru dans votre dernier numéro. _____

SCORE _____ /5

G Tell the speaker that you're eager to get caught up on the news. Vary your answers.

31. Tu as vu la photo de l'accident?

_____

32. Devine qui est en couverture cette semaine!

_____

33. Tu connais la dernière?

_____

34. Tu es au courant de ce qui est arrivé à Simon?

_____

35. Tu as entendu parler du vol à la bijouterie *Brillance?*

_____

SCORE _____ /10

Grammaire

H Complete the following conversation using the verbs in parentheses.

Séverine	Je ne pense pas que mon article (36)_____ (paraître) dans ce numéro. Il n'est pas assez intéressant.
Fabrice	Je suis persuadé que les gens (37)_____ (trouver) ton article passionnant!
Séverine	Bof… ça m'étonnerait qu'on le (38)_____ (lire)!
Fabrice	Il se peut même que tu (39)_____ (remporter) le premier prix de journalisme!
Séverine	Et moi, je doute que cela (40)_____ (arriver).
Fabrice	Pourquoi tu ne (41)_____ (croire) pas que cela (42)_____ (pouvoir) arriver?
Séverine	Parce que ça ne m'étonnerait pas que ce journal (43) _____ (publier) des articles d'auteurs plus connus.
Fabrice	Moi, je suis certain que ton article (44) _____ (avoir) beaucoup de succès!
Séverine	Oh, après tout, il est possible que tu (45) _____ (avoir) raison…

SCORE _____ /10

I Rewrite the sentences using pronouns to replace the underlined words.

46. Est-ce qu'on va aller <u>au cinéma</u>?

_____

47. Tu veux <u>du chocolat</u>?

_____

48. Vous avez acheté <u>ces magazines</u>?

_____

49. Ils n'ont pas parlé <u>à tes copains</u>.

_____

50. Pourquoi on ne dit pas tout <u>à Charlotte</u>?

_____

SCORE   /10

Écrivons

J Write a letter to the editor concerning an article about which you have your doubts. Include its publication date, its title, what you have trouble believing, and what you do believe instead.

_____

_____

_____

_____

_____

_____

_____

_____

_____

_____

SCORE   /15

EXAMEN   CHAPITRE **6**

K Write a conversation between somebody who is calling a newspaper about an article they have listed on their Web site. You ask for more information about this article, when it was posted, who wrote it, etc.

_____

_____

_____

_____

_____

_____

_____

_____

_____

_____

_____

SCORE	/15

TOTAL SCORE	/100

Vocabulaire 1

A (5 points: 1 point per item)
1. la une
2. le gros titre
3. le dessin humoristique
4. la légende
5. l'article

B (5 points: 1 point per item)
6. magazines
7. marchand
8. abonner
9. spécialisée
10. hebdomadaires

C (10 points: 2 points per item)
11. marchand
12. revue
13. pense
14. certain
15. doute

D (10 points: 2 points per item)
Answers will vary. Possible answers:
16. m'étonnerait.
17. se peut/est possible
18. sûr(e)/certain(e)/persuadé(e)
19. pense/crois
20. sûres/certaines/persuadées

Grammaire 1

A (5 points: 1 point per item)
1. vienne
2. j'étais
3. fera
4. soit
5. puisse

B (10 points: 1 point per item)
6. crois
7. croit
8. paraît
9. crû
10. croient
11. paraissent
12. paraissent
13. Croyez
14. croyons
15. a paru

C (10 points: 2 points per item)
Answers will vary. Possible answers:
16. Je ne crois pas qu'un enfant qui vient de naître sache parler.
17. Il est possible que des jumeaux naissent dans un avion.
18. Je doute que des extraterrestres habitent dans ton immeuble.
19. Il se peut qu'un homme vive jusqu'à cent ans.
20. Je ne pense pas qu'un chat puisse aimer l'eau!

D (10 points: 2 points per item)
Answers will vary. Possible answers:
21. Je ne pense pas qu'il ait cette revue.
22. Non, je ne pense pas que cet article soit très bien écrit.
23. Je doute que Marc vienne jouer au tennis avec nous parce qu'il n'est pas très sportif.
24. Je ne pense pas que ce livre paraisse cet été.
25. Ça m'étonnerait!

Application 1

A (10 points: 2 points per item)
1. b
2. a
3. b
4. a
5. b

B (10 points: 2 points per item)
6. quelque chose
7. quelqu'un
8. quelque part
9. quelque chose
10. quelquefois

C (15 points) Answers will vary. Sample answer:
Moi, je suis persuadé que c'est le Brésil qui gagnera!
Non, moi, je ne pense pas qu'ils vont battre les Français!
Ça ne m'étonnerait pas que cela arrive parce qu'ils sont les plus forts. Etc.

Answer Key

Vocabulaire 2

A (5 points: 1 point per item)
1. e
2. c
3. f
4. b
5. a

B (5 points: 1 point per item)
6. météo
7. culture
8. sports
9. actualités
10. colère

C (10 points: 2 points per item)
11. b
12. b
13. c
14. c
15. b

D (10 points: 2 points per item)
16. Qui est-ce qui
17. Qu'est-ce que
18. qui est-ce que
19. Qu'est-ce qui
20. Qu'est-ce que

Grammaire 2

A (5 points: 1 point per item)
1. b
2. e
3. f
4. c
5. a

B (10 points: 2 points per item)
6. b
7. a
8. a
9. c
10. b

C (10 points: 2 points per item)
11. Oui, nous les lui donnons!
12. Non, ils ne l'ont pas vu.
13. Oui, il l'a réparé.
14. Oui, ils nous l'ont dit.
15. Non, je ne les leur ai pas rendus.

D (10 points: 2 points per item)
Answers will vary. Possible answers:
16. Qui est-ce qu'on va nous présenter?
17. Qui est-ce qui a pris ta revue?
18. Qu'est-ce que tu veux aller voir?
19. Qui est-ce que tu connais à Québec?
20. Qu'est-ce qui se passe?

Application 2

A (10 points: 2 points per item)
1. d
2. e
3. c
4. b
5. a

B (10 points: 2 points per item)
6. b
7. a
8. b
9. b
10. b

C (15 points) Answers will vary. Sample answer:
J'aime bien mon nouvel emploi, mais je ne connais personne – du moins, pas encore. Je cherche un appartement, mais je n'ai encore rien trouvé. Le soir, après le travail, je rentre à l'hôtel à pied. Autrement, je ne vais nulle part. Je mange un sandwich à l'hôtel, ou bien je ne mange rien. Etc.

Answer Key

Lecture

A (20 points) Answers will vary. Possible answer: J'ai compris qu'on parlait du «soccer» parce que beaucoup de femmes y jouent.

B (10 points: 2 points per item)
1. vingt-deux
2. quatre-vingt-dix
3. au monde
4. 2006
5. d'ensemble

C (20 points)

Answers will vary. Possible answer: Oui, j'y jouais quand j'étais petit, mais maintenant, je n'ai plus le temps. J'aimerais bien y jouer encore parce que j'aime les sports où il y a plusieurs joueurs qui jouent ensemble.

Écriture

A (25 points) Answers will vary. Possible answer:

Moi Le métro est encore une fois en grève?

Lui Oui, c'est la deuxième fois en quinze jours!

Moi Pourquoi est-ce qu'ils sont en grève cette fois-ci?

Lui Qu'est-ce que vous croyez? Ils veulent une augmentation de salaire, comme d'habitude!

Moi Comment est-ce que je vais aller à l'école?

Lui Je ne sais pas. Prenez le bus. Eux, ils ne sont pas en grève.

B (25 points) Answers will vary. Possible answer:

Dans la nuit du 4 mai un vol a eu lieu au Musée Lapointe. Les voleurs ont emporté un tableau de Picasso que le musée avait reçu à prêter du musée du Louvre. Les voleurs n'ont fait aucune victime. Etc.

Answer Key

Écoutons

A (10 points: 2 points per item)
1. c
2. b
3. c
4. a
5. a

B (10 points: 2 points per item)
6. Coralie ne veut rien faire.
7. Elle ne veut aller ni au musée ni au cinéma.
8. Elle ne veut aller nulle part.
9. Il n'y a personne.
10. Aucune des idées de Xavier ne lui plaît.

Lisons

C (5 points: 1 point per item)
11. pense
12. est devenu
13. se peut
14. sûr
15. pense

D (5 points: 1 point per item)
16. b
17. a
18. a
19. b
20. b

Culture

E (5 points: 1 point per item)
21. c
22. b
23. b
24. c
25. a

Vocabulaire

F (5 points: 1 point per item)
26. Météo
27. Sports
28. Actualités/Société
29. Économie
30. Courrier des lecteurs

G (10 points: 2 points per item) Answers will vary. Possible answers:
31. Fais voir!
32. Montre-moi!
33. Non, raconte!
34. Non, je t'écoute!
35. Non, qu'est-ce qui s'est passé?

Grammaire

H (10 points: 1 point per item)
36. paraisse
37. trouveront
38. lise
39. remportes
40. arrive
41. crois
42. puisse
43. publie
44. aura
45. aies

I (10 points: 2 points per item)
46. Est-ce qu'on va y aller?
47. Tu en veux?
48. Vous les avez achetés.
49. Ils ne leur ont pas parlé.
50. Pourquoi on ne lui dit pas tout?

Écrivons

J (15 points) Answers will vary. Possible answer:
Monsieur/Madame, je vous écris au sujet d'un article paru dans votre numéro du 18 juin. Je doute que la grève se termine aussi vite que vous le dites. Moi, je pense qu'il nous faudra choisir d'autres moyens de transport. Je suis persuadé que c'est la seule solution.

K (15 points) Answers will vary. Possible answer:

Une dame	Allô, je suis bien au journal *Le Parolier?*
Le journaliste	Oui.
Une dame	J'ai vu votre article sur Jules Ducour, l'auteur de science-fiction. Savez-vous si cet article a déjà été publié dans un numéro précédent?
Le journaliste	Non, c'est la première fois que nous le publions.

Scripts: Quizzes

Application 1

A

Astrid	Damien, je ne pense pas que ce kiosque soit ouvert.
Damien	Si, Astrid. J'en suis sûr.
Astrid	Mais je doute qu'on y vende la revue qu'on cherche.
Damien	Si, je suis persuadé qu'on la vend.
Astrid	Ah, oui, tu as raison, la voilà.
Damien	Hm, tu es sûre que c'est celle-là?
Astrid	Oui, je crois bien – regarde le titre.
Damien	Je doute que ce soit celle dont on parlait.
Astrid	Est-il possible qu'il y ait deux revues du même nom?
Damien	Mais non, ce n'est pas possible, voyons.

Application 2

A
1. Les rédacteurs du *Nouveau Journal* sont encore une fois en grève. Ils demandent une augmentation de salaire. Le ministre du Travail a dit qu'il allait leur parler.

2. Nouvelle victoire pour l'équipe de football de Haïti dans la Coupe Panaméricaine. Haïti a remporté une belle victoire sur les Québécois.

3. Ce matin, un accident s'est produit dans le centre-ville. Heureusement, il n'y a pas eu de blessé mais tous ceux qui travaillent dans le centre ont eu du retard.

4. L'écrivain Livo Paschuk a écrit un article très intéressant qui a été publié dans le dernier numéro de ce journal. C'est une interview du célèbre auteur de bandes dessinées. À ne pas manquer!

5. On prévoit une vague de chaleur dans le sud du pays. Il est conseillé aux personnes âgées et à celles ayant des problèmes de santé de sortir le moins possible.

SCRIPTS

Examen

A

6 janvier 2006 – Cette nuit, on a arrêté quatre personnes en train de voler un tableau de la collection du Musée d'art moderne. Ce tableau très connu, *L'Attentat*, est de l'artiste haïtien Rémy Ondine. L'année dernière déjà, il y avait eu un vol dans ce musée. Des voleurs avaient emporté des bijoux. Cette fois-ci, les voleurs allaient envoyer le tableau en Amérique pour le vendre quand on les a attrapés. Ils ont appelé leurs avocats et devront se présenter devant le juge à la fin du mois.

B

Xavier	Qu'est-ce qu'on fait, Coralie?
Coralie	Bof! Je ne sais pas.
Xavier	Tu veux aller au musée?
Coralie	Pas vraiment - il y a la grève du métro, ça prendrait des heures pour y arriver.
Xavier	D'accord. Tiens, il doit y avoir un film au cinéma d'à côté.
Coralie	Oh! On y passe un film vraiment nul en ce moment.
Xavier	On peut passer au kiosque acheter un hebdomadaire.
Coralie	Oh, c'est toujours la même chose qu'on raconte dans ces journaux!
Xavier	Attends, je téléphone à Sébastien. […] Hum, ça ne répond pas.
Coralie	C'est qu'il est parti en vacances avec tous les autres!

Géoculture

A Match the letters on the map with the regions or cities from that region. Note that some letters will be used more than once.

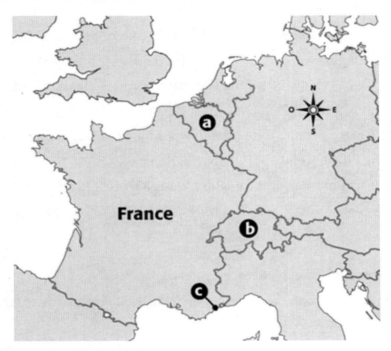

_____ 1. la Suisse

_____ 2. Bruxelles

_____ 3. Genève

_____ 4. Monaco

_____ 5. la Belgique

SCORE   /10

B Match each item on the left with a region on the right.

_____ 6. la Croix-Rouge

_____ 7. l'Union européenne

_____ 8. les grottes de Han

_____ 9. les canaux

_____ 10. le Grand Prix

a. Ardennes
b. Bruxelles
c. le lac Léman
d. Monte-Carlo
e. Genève
f. Bruges

SCORE   /5

QUIZ: GÉOCULTURE   CHAPITRE **7**

C Match each description to the correct item.

_____11. Ce prince a fait de Monaco un centre financier et touristique.

     a. François Grimaldi   b. Charlemagne   c. Rainier III

_____12. Ce pays est resté neutre pendant la Guerre de Trente Ans.

     a. la Suisse   b. la Belgique   c. Monaco

_____13. Ce pays a gagné son indépendance de la Hollande en 1830.

     a. la Suisse   b. la Belgique   c. le Congo

_____14. Cette personne a été première présidente de la Suisse.

     a. Grace Kelly   b. Charlemagne   c. Ruth Dreifuss

_____15. En quoi François Grimaldi s'est-il déguisé?

     a. en moine   b. en prince   c. en président

SCORE	/5

D Fill in the blanks to complete each sentence.

16. La Belgique a connu une révolution industrielle grâce à sa colonisation du _____.

17. En 2002, la Suisse est devenue membre des _____.

18 Le centre politique et économique de l'empire de Charlemagne se trouvait en _____.

19. Le premier Grimaldi à régner sur Monaco s'appelait François, ou «_____.»

20. Les Belgae et les Helvètes étaient d'origine _____.

SCORE	/10

TOTAL SCORE	/30

Vocabulaire 1

A Identify the natural phenomena below.

_____1.   _____2.   _____3.

_____4.   _____5.

SCORE _____ /5

B Fill in the blanks with the words from the box. Make all the necessary changes.

l'orage	dégât	éclair	tonnerre
l'alerte	grêle	précaution	région

Quand (6)_____ a éclaté, on a vu des (7)_____ dans le ciel et
on a entendu le (8) _____. J'ai eu très peur. Mais heureusement, on avait
donné (9)_____ alors il n'y a pas eu de (10)_____ chez nous
parce qu'on avait pris nos (11)_____.

SCORE _____ /6

QUIZ: VOCABULAIRE 1   CHAPITRE **7**

C Give warnings to these people who are going to the following places. Vary the way in which you give the advice.

12. Samuel et Patricia vont dans le désert.

_____

13. Alain va à la montagne.

_____

14. Gilbert et ses cousins vont en Californie.

_____

15. Farid va en Floride.

_____

16. Tes parents vont au mont St. Hélène.

_____

| SCORE | /10 |

D Create sentences giving possible causes or results for the following natural events. Use **donc**, **dû à**, **à cause de,** or **c'est pour ça** in your sentences.

17. tremblement de terre

_____

_____

18. tempête de neige

_____

_____

19. sécheresse

_____

_____

| SCORE | /9 |

| TOTAL SCORE | /30 |

Grammaire 1

A These three brothers are always one-upping each other. Complete their conversation below.

Auguste J'ai eu 17 à mon examen! Qu'est-ce que je suis intelligent!

Philippe Tu rigoles! Je suis bien (1) _____ intelligent que toi.

Julien Vous deux, ça va, moi je suis (2) _____ intelligent du groupe.

Auguste Peut-être, mon pauvre, mais tu es bien (3) _____ sportif que nous deux.

Philippe Ah... je suppose que c'est toi (4) _____ sportif de tous aussi?

Auguste Je n'ai pas dit ça, mais si tu veux...

Julien Écoutez, on peut parler d'autre chose?

Philippe Avec plaisir!

Auguste Je suis (5) _____ riche de nous trois en ce moment... vous me payez une glace?

SCORE _____ /5

B Using the cues provided, write complete sentences. Make all the necessary changes and add the appropriate verb correctly conjugated.

6. avalanches / dangereux / tremblements de terre (=)

_____

7. sécheresse / dégât / inondation (-)

_____

8. grêle / dangereux / pluie (+)

_____

9. glissements de terrain / faire / victime / avalanches (=)

_____

10. tonnerre / dangereux / éclairs (-)

_____

SCORE _____ /10

QUIZ: GRAMMAIRE 1   CHAPITRE **7**

C Fill in the blanks using the correct forms of the verbs in parentheses. Use the passive voice.

11. La ville _____ avant l'ouragan. (évacuer)

12. Les voitures _____ par la grêle. (abîmer)

13. La maison _____ par l'incendie. (détruire)

14. Ces arbres _____ par la tornade. (emporter)

15. Les dégâts _____ à plusieurs millions. (estimer)

SCORE   /10

D Rewrite these sentences in the passive voice.

16. Le tremblement de terre a provoqué un raz-de-marée.

_____

17. C'est un éclair qui a causé cet incendie.

_____

18. L'avalanche a endommagé plusieurs maisons.

_____

19. La lave n'a pas atteint le village.

_____

20. L'incendie a ravagé toute la région.

_____

SCORE   /10

TOTAL
SCORE   /35

Application 1

Écoutons

A Listen to these five announcements and then match each one to one of the following: **a) la sécheresse**, **b) une éruption c) une inondation, d) une avalanche** or **e) un incendie**.

_____1.   _____2.   _____3.   _____4.   _____5.

| SCORE | /10 |

Lisons

B Your parents went skiing, but you decided to stay home, so you're in charge of the house. They have left instructions about what to do in case of a storm.

Si on prévoit une tempête, va voir si les branches des arbres sont bien coupées et rentre du bois pour faire du feu. Ensuite, mets la voiture dans le garage, fais rentrer le chat et ferme bien toutes les fenêtres. Après la tempête, si tu ne peux pas sortir de la maison à cause de la neige, appelle les voisins. Si le téléphone ne marche pas, utilise ton mobile pour les appeler.

_____ 6. Pourquoi faut-il que les branches des arbres soient coupées?
     a. pour qu'elles ne tombent pas sur la maison
     b. pour faire un feu
     c. pour que les voisins puissent mieux voir

_____ 7. Pourquoi faut-il mettre la voiture dans le garage?
     a. parce que tu n'as pas ton permis de conduire
     b. parce qu'elle pourrait être endommagée par la tempête
     c. parce qu'il y a des voleurs

_____ 8. Pourquoi ne pourrait-il pas sortir?
     a. parce qu'il n'est pas très fort
     b. parce qu'il n'a pas la clé
     c. parce qu'il y a trop de neige

_____ 9. Pourquoi le téléphone ne marcherait-il pas?
     a. parce que la ligne serait endommagée
     b. parce qu'il ferait trop froid dans la maison
     c. parce que la maison est sous la neige

_____ 10. Pourquoi doit-il chercher du bois?
     a. pour le donner aux voisins
     b. pour faire du feu
     c. pour qu'il n'y ait pas d'incendie

| SCORE | /10 |

QUIZ: APPLICATION 1   **CHAPITRE 7**

Écrivons

C You've just seen a news report on the aftermath of a tidal wave, and you have a lot of questions. Why was it so destructive? Why did it happen? Write a conversation in which you ask your science teacher three questions, and he/she answers you.

_____

_____

_____

_____

_____

_____

_____

_____

_____

_____

SCORE	/15

TOTAL SCORE	/35

Vocabulaire 2

A Write a sentence about each of the illustrations, telling what it is and why it is good or bad for the environment.

1.

2.

3.

4.

5.

1. _____

_____

2. _____

_____

3. _____

_____

4. _____

_____

5. _____

_____

SCORE _____ /15

QUIZ: VOCABULAIRE 2   CHAPITRE **7**

B Choose a phrase from the box below to complete each statement.

D'un côté... d'un autre	En principe	J'en suis sûr(e)
Ce que je sais	A priori	Je suis convaincu(e)

6. _____ que les pesticides ont fait avancer l'agriculture.

7. _____, c'est vrai, mais _____, elles ont provoqué des maladies.

8. _____, ce serait mieux d'utiliser des produits biologiques.

9. _____ l'agriculture bio coûte plus cher.

10. _____, c'est que la maladie coûte bien plus cher!

SCORE   /5

C Fill in the blanks to complete this conversation.

Gisèle   Il faut faire quelque chose pour (11) _____ l'environnement! Mais quoi?

Hugo   Moi, je fais le (12) _____ du verre et du papier.

Sylvaine   J'ai fait installer des panneaux (13) _____ chez moi.

Didier   Je viens d'acheter une voiture (14) _____. C'est génial!

Gisèle   D'accord! Moi, je n'achèterai plus que des produits (15) _____.

SCORE   /10

TOTAL
SCORE   /30

Grammaire 2

A Choose the most logical ending for each sentence.

_____ 1. On verra beaucoup de véhicules hybrides...

_____ 2. Il y aura moins de marées noires…

_____ 3. Les déchets seront réduits…

_____ 4. Je me déplace à vélo…

_____ 5. L'effet de serre sera réduit…

a. quand tout le monde recyclera.
b. lorsqu'on consommera moins de pétrole.
c. lorsqu'on arrêtera de couper des arbres.
d. dès qu'elles coûteront moins cher.
e. quand il ne pleut pas.

SCORE _____ /5

B Choose the correct form of the verb in parentheses.

6. Quand tu (seras / auras été) à Bruges, fais un tour à vélo.

7. Tu me téléphoneras dès que tu (arriveras / seras arrivé) à Genève?

8. Vous irez voir la Grand-Place quand vous vous (installerez / serez installés)?

9. Est-ce que le Grand Prix (a / aura) lieu quand on sera à Monte-Carlo?

10. Je t'enverrai du chocolat dès que j'(ai trouvé / aurai trouvé) le bureau de poste.

SCORE _____ /10

C Fill in the blanks using the correct form of the verb in parentheses.

11. L'environnement peut toujours s'améliorer à condition qu'on _____ tous un effort. (faire)

12. J'y vais à vélo, malgré qu'on _____ prévu de la pluie. (avoir)

13. Il s'est fait installer des panneaux solaires afin de ne plus _____ payer d'électricité. (devoir)

14. En attendant qu'il _____ s'acheter un véhicule hybride, Julien prend le métro pour aller au travail. (pouvoir)

15. On peut économiser l'énergie sans _____ beaucoup de changements. (faire)

SCORE   /10

D Write sentences with the elements below. Make all the necessary changes.

16. je / venir / à condition / pouvoir / venir à vélo

_____

17. tes parents / déménager / afin / tu / aller à l'école à pied

_____

18. vous / quitter Monaco / malgré / avoir le Grand Prix / ?

_____

19. Nous / aller t'acheter un véhicule hybride / bien / nous / ne pas avoir beaucoup d'argent

_____

20. tu / partir en vacances / parce que / tu / être fatigué

_____

SCORE   /10

TOTAL
SCORE   /35

Application 2

Écoutons

A Listen to these people talk about their habits, and decide if **a)** they are environmentally sound or **b)** not good for the environment.

_____1.   _____2.   _____3.   _____4.   _____5.

SCORE	/10

Lisons

B These people are considering some improvement for their home or business. Read the flyer and decide whether they are speaking about **a)** solar panels, **b)** wind mills or **c)** both.

ÉCOSOLUTIONS VOUS PROPOSE		
- PANNEAUX SOLAIRES - Facile à installer chez vous! - Des coûts d'énergie réduits - Une source d'énergie simple et écologique	**- ÉOLIENNES** - Une source d'énergie pour fermes, usines, etc. - Des coûts d'énergie réduits jusqu'à 70% - Simple et écologique	Si vous achetez avant le 31 décembre, vous économiserez plus de 10 %.
Téléphonez dès maintenant pour obtenir une brochure gratuite: (08) 04 04 04		

_____ 6. Je cherche une source d'énergie naturelle.

_____ 7. Je voudrais économiser plus de 50% de ce que je paie maintenant.

_____ 8. Eh bien, je voudrais utiliser une source d'énergie pas chère pour ma grange.

_____ 9. Je cherche quelque chose de facile à installer pour avoir de l'énergie bon marché chez moi.

_____ 10. Ce que je sais, c'est qu'il vaut mieux le faire avant la fin de l'année!

SCORE	/10

QUIZ: APPLICATION 2 CHAPITRE **7**

Écrivons

C Write a paragraph about how you think environmental problems will play out in your lifetime. Include some suggestions for improving the current situation that you think are within reach. Write about at least three environmental problems.

_____

_____

_____

_____

_____

_____

_____

_____

_____

_____

_____

_____

SCORE	/15

TOTAL SCORE	/35

Lecture

A As you read this young man's recollection, identify the main idea, and then write it below the passage.

Maman a toujours voulu que je ne mange que des produits biologiques à la maison et que je fasse très attention à l'école pour ne prendre que de bonnes choses. Eh bien, parfois quand j'allais au restaurant avec des copains après les cours, je ne prenais rien, j'étais là juste pour discuter. Mais ma mère sentait *(smelled)* souvent les matières grasses sur mes vêtements (à cause des frites, je suppose) et elle se fâchait. «Ça ne va pas, non!?» me disait-elle. «Je t'interdis de manger ça!» Je lui disais que je n'avais rien mangé de mauvais mais elle ne me croyait pas. Alors, après un certain temps, quand on m'invitait au resto, je disais non. Cependant, je trouve qu'elle aurait dû me croire.

_____

_____

SCORE /10

B Decide whether the following statements are **a) vrai** ou **b) faux**.

_____ 1. Le garçon ne mangeait que des frites.

_____ 2. Sa mère ne voulait pas qu'il mange de bonnes choses.

_____ 3. Pour elle, le régime était très important.

_____ 4. Le garçon n'écoutait pas sa mère.

_____ 5. À son avis, elle aurait dû être plus gentille.

SCORE /10

C Qu'est-ce que tu penses des produits bio? Est-ce que ta famille et toi, vous faites attention à ce que vous mangez?

_____

_____

_____

_____

_____

SCORE /15

TOTAL

SCORE /35

Écriture

A Your best friend thinks it's too late to improve the environment, but you believe otherwise. Every time you talk about it, it turns into an argument. Write your friend a letter explaining at least three different ways our current situation could be improved.

_____

_____

_____

_____

_____

_____

_____

_____

SCORE	/15

B Write a conversation in which your mother says three or four things that she thinks you could improve or will happen to you. Disagree with everything she tells you and state why you disagree.

_____

_____

_____

_____

_____

_____

_____

_____

SCORE	/20

TOTAL SCORE	/35

Notre planète

Écoutons

A Listen to the announcement and then answer the questions.

_____ 1. Que se passe-t-il?
   a. une avalanche   b. une éruption   c. une inondation

_____ 2. Que faut-il faire?
   a. rester chez soi   b. nettoyer   c. partir tout de suite

_____ 3. Il y a des incendies à cause…
   a. de la lave   b. d'un éclair   c. des fumées

_____ 4. Sur l'autoroute, il y aura beaucoup…
   a. de monde   b. de lave   c. d'eau

_____ 5. Une fois qu'on sera à Sauville, il faut trouver…
   a. un hôtel   b. le centre de services   c. de l'eau

| SCORE | /5 |

B Listen to the conversation and then answer the questions with complete sentences in French.

6. Qu'est-ce que Karine voudrait acheter?

_____

7. Qu'est-ce que Bertrand lui dit?

_____

8 Comment Bertrand se déplace-t-il?

_____

9. Qu'est-ce qu'il doit faire pour savoir s'il peut aller au lycée à vélo?

_____

10. Qu'est-ce que Karine suggère à Bertrand?

_____

| SCORE | /10 |

Lisons

C Read this opinion and then complete the sentences below with the correct word.

L'environnement va mal, mais ce qu'on fait maintenant *peut* changer les choses. Le recyclage, c'est bien. Les panneaux solaires, encore mieux. Mais le mieux, ce sont les voitures hybrides, parce qu'elles aident à réduire l'effet de serre, et donc du réchauffement de la planète. Si tout le monde échangeait sa voiture contre une voiture hybride, on verrait une grande différence. Parlez-en autour de vous.

11. D'après cet article, le recyclage est (la meilleure / la moins bonne) des solutions.

12. Les panneaux solaires sont (aussi / moins) importants que les voitures hybrides.

13. Les voitures hybrides polluent (plus / moins) que les voitures normales.

14. L'effet de serre (provoque / est provoqué par) le réchauffement de la planète.

15. L'environnement s'améliorera (à cause de / malgré) nos efforts.

SCORE ___ /5

D Read this letter and then indicate whether each statement below is **a) vrai** or **b) faux**.

Céleste,

Je t'envoie cette carte de Bruxelles où ton père et moi sommes venus pour l'ExpoÉcolo. On y passe tout notre temps. On n'a même pas encore visité la Grand-Place! Nous sommes ravis de toutes les inventions et toutes les solutions. Il y a toutes sortes de véhicules hybrides, de panneaux solaires, d'équipement de recyclage et même d'éoliennes! Tout cela nous donne des idées et dès qu'on sera rentrés chez nous, on va les essayer. Ton père vient de m'apporter des produits bio à goûter – j'ai faim! Je te téléphonerai dès qu'on sera rentrés.

Maman

_____ 16. Les parents de Céleste sont des écologistes.

_____ 17. À Bruxelles, ils ont visité la Grand-Place.

_____ 18. L'exposition leur plaît.

_____ 19. Ses parents ont acheté une voiture hybride.

_____ 20. Céleste habite chez ses parents.

SCORE ___ /5

EXAMEN

CHAPITRE **7**

Culture

E Decide whether the following sentences are **a) vrai** or **b) faux**.

_____21. En France, les immeubles ont des minuteries.

_____22. Le protocole de Kyoto a été signé par tous les pays.

_____23. Le protocole de Kyoto protège l'environnement.

_____24. En Europe, il y a beaucoup de voitures hybrides.

_____25. La Belgique a un climat tempéré.

SCORE	/10

Vocabulaire

F Match each phenomenon on the left with the most logical word on the right.

_____26. une marée noire

_____27. une tempête de sable

_____28. une avalanche

_____29. une éruption

_____30. une tornade

```
a. la campagne
b. le fleuve
c. la côte
d. le désert
e. la montagne
f. le volcan
```

SCORE	/5

G Complete the following sentences logically.

31. L'effet de serre est dû _____

32. On utilise des pesticides. Donc, _____

33. Le raz-de-marée s'est produit à cause d' _____

34. Il y a trop de voitures. C'est pour ça qu'il y a tant de _____

35. Une des solutions serait de _____

SCORE	/10

Grammaire

H Rewrite these sentences in the passive voice.

36. On doit protéger l'environnement.

_____

37. On devrait utiliser d'autres moyens de transport.

_____

38. On ne peut pas gaspiller l'eau.

_____

39. On doit préférer les produits biologiques.

_____

40. On doit éteindre les appareils électriques.

_____

SCORE ___ /10

I Choose the correct form of each verb in parentheses.

41. Bien qu'il (soit / est) paresseux, il fait une grande promenade à pied chaque jour.

42. À moins qu'on (faire / fasse) beaucoup d'efforts, on ne verra pas la différence.

43. Avant que nous (partions / partons), il doit nous montrer sa nouvelle voiture hybride.

44. Fais tes devoirs, de sorte qu'on (pourra / puisse) aller au cinéma.

45. Éteins toutes les lampes avant de sortir pour (ne gaspillions pas / ne pas gaspiller) l'électricité.

46. Ils iront planter des arbres pourvu qu'il ne (pleuve / pleuvra) pas.

47. Nous ne prenons jamais le bus à moins que notre voiture ne (marche / marchera) pas.

48. Nous partirons demain matin afin de ne pas (arriver / arrivions) trop tard.

49. Tout le monde devrait recycler le papier pour qu'on (arrête / arrêter) la déforestation.

50. Je pense aller en ville à vélo à condition que tu (viennes / viendras) avec moi.

SCORE ___ /10

J Use the cues below to write comparative and superlative sentences.

51. Je / être / sportif / toi (−)

_____

52. Nous / avoir / neige cet hiver / l'année dernière (=)

_____

53. C' / être / la marée noire / grand / du siècle (+)

_____

54. Ce tremblement de terre / faire / victimes / que prévu (−)

_____

55. Hier / il y avoir / l'orage / gros / de la saison (+)

_____

SCORE ___ /10

Écrivons

K In your opinion, how far will people really go to preserve the environment? Use the French equivalent of such expressions as "on one hand, . . .", "therefore . . .", and some conjunction such as "provided that . . ." and "unless . . ."

_____

_____

_____

_____

_____

_____

_____

_____

_____

SCORE ___ /10

EXAMEN   CHAPITRE **7**

L Imagine you have a younger sister whom you want to caution about high school. Write a letter to her, giving examples of a few things that have happened to you, and why. (Feel free to use your imagination!) Use the French equivalent of such expressions as "watch out for . . .", "beware of . . .", "above all . . .", etc.

_____

_____

_____

_____

_____

_____

_____

_____

_____

_____

_____

SCORE	/10

TOTAL SCORE	/100

Vocabulaire 1

A (5 points: 1 point per item)
1. un incendie
2. une inondation
3. une éruption
4. une avalanche
5. un raz-de-marée

B (6 points: 1 point per item)
6. l'orage
7. éclairs
8. tonnerre
9. l'alerte
10. dégâts
11. précautions

C (10 points: 2 points per item) Answers will vary. Possible answers:
12. Méfiez-vous des tempêtes de sable!
13. Prends garde aux avalanches!
14. On prévoit un tremblement de terre!
15. Méfie-toi des ouragans!
16. On prévoit une éruption!

D (9 points: 3 points per item) Answers will vary. Possible answers:
17. Il y a eu un raz-de-marée à cause du tremblement de terre.
18. Il y a eu une tempête de neige et c'est pour ça qu'il y a eu une avalanche.
19. Une vague de chaleur a provoqué une grande sécheresse. Donc, il y a eu des incendies.

Grammaire 1

A (5 points: 1 point per item)
1. plus
2. le plus
3. moins
4. le plus
5. le moins

B (10 points: 2 points per item)
6. Les avalanches sont aussi dangereuses que les tremblements de terre.
7. La sécheresse fait moins de dégâts qu'une inondation.
8. La grêle est plus dangereuse que la pluie.
9. Les glissements de terrain font autant de victimes que les avalanches.
10. Le tonnerre est moins dangereux que les éclairs.

C (10 points: 2 points per item)
11. a été évacuée
12. ont été abîmées
13. a été détruite
14. ont été emportés
15. ont été estimés

D (10 points) Answers will vary. Possible answers:
16. Un raz-de-marée a été provoqué par le tremblement de terre.
17. Cet incendie a été causé par un éclair.
18. Plusieurs maisons ont été endommagées par l'avalanche.
19. Le village n'a pas été atteint par la lave.
20. Toute la région a été ravagée par l'incendie.

Application 1

A (10 points: 2 points per item)
1. c
2. d
3. b
4. e
5. a

B (10 points: 2 points per item)
6. a
7. b
8. c
9. a
10. b

C (15 points) Answers will vary. Possible answers:

Moi Qu'est-ce qui provoque un raz-de-marée?

Prof Un tremblement de terre.

Moi Il n'y a qu'une vague ou il y a beaucoup de vagues? Etc.

Answer Key

Vocabulaire 2

A (15 points: 3 points per item) Answers will vary. Possible answers:

1. La déforestation provoque le réchauffement de l'atmosphère.
2. C'est bien de recycler. Ça réduit l'accumulation des déchets.
3. Certaines maisons ont des panneaux solaires pour économiser l'énergie.
4. Les fumées des usines polluent l'air.
5. Les éoliennes produisent de l'énergie qui ne pollue pas.

B (5 points: 1 point per item)

6. Je suis convaincu(e)
7. D'un côté... d'un autre
8. En principe
9. A priori
10. Ce que je sais

C (10 points: 2 points per item)

11. améliorer   14. hybride
12. recyclage   15. biologiques
13. solaires

Grammaire 2

A (5 points: 1 point per item)

1. d   4. e
2. b   5. c
3. a

B (10 points: 2 points per item)

6. seras
7. seras arrivé
8. serez installés
9. aura
10. aurai trouvé

C (10 points: 2 points per item)

11. fasse
12. ait
13. devoir
14. puisse
15. faire

D (10 points: 2 points per item)

16. Je viendrai à condition de pouvoir venir à vélo.
17. Tes parents ont déménagé afin que tu ailles à l'école à pied.
18. Vous quittez Monaco malgré qu'il y ait le Grand Prix?
19. Nous allons t'acheter une voiture hybride bien que nous n'ayons pas beaucoup d'argent.
20. Tu pars en vacances parce que tu es fatigué

Application 2

A (10 points: 2 points per item)

1. a
2. a
3. a
4. b
5. a

B (10 points: 2 points per item)

6. c
7. b
8. b
9. a
10. c

C (15 points) Answers will vary. Possible answer:

Je crois vraiment que les choses vont s'améliorer. Maintenant, les gens comprennent les effets de la déforestation et vont faire quelque chose pour arrêter l'effet de serre. On va aussi acheter plus de voitures hybrides et finalement comme on consommera moins d'essence, il y aura aussi moins de marées noires!

GÉOCULTURE / LECTURE / ÉCRITURE QUIZZES

Géoculture

A (10 points: 2 points per item)
1. b
2. a
3. b
4. c
5. a

B (5 points: 1 point per item)
6. e   9. f
7. b   10. d
8. a

C (5 points: 1 point per item)
11. c   14. c
12. a   15. a
13. b

D (10 points: 2 points per item)
16. Congo
17. Nations unies
18. Belgique
19. le Malizia
20. celtique

Lecture

A (10 points) Answers will vary. Possible answer:
L'idée, c'est que certaines personnes croient qu'on ne leur dit jamais la vérité.

B (10 points: 2 points per item)
1. b   4. b
2. b   5. a
3. a

C (15 points) Answers will vary. Sample answer.
À la maison, ma mère utilise toujours des produits biologiques pour préparer les repas. Mais quand je sors avec mes copains, on mange ce qui nous plaît.

Écriture

A (15 points) Answers will vary. Possible answer:

Pierre, je sais qu'on n'est pas du tout d'accord, mais je crois que nous pouvons améliorer l'environnement. D'abord, il faudrait qu'on arrête d'utiliser des pesticides. Ensuite, je suis sûr qu'on va bientôt trouver un autre source d'énergie que l'essence. Et pour finir, les gens recyclent plus qu'avant et cela réduit l'effet de serre parce qu'on coupe moins d'arbres.

B (20 points) Answers will vary. Possible answer:

Maman   Je suis sûre que dès que tu pourras conduire tu voudras une voiture.

Moi   Non. Moi, je préfère me déplacer à vélo. C'est plus écolo!

Maman   Ah bon? Je ne savais pas que tu étais devenue une vraie écologiste! Pourtant, tu ne fais jamais attention à ce que tu manges.

Moi   Ce n'est pas vrai! Je ne prends que des produits bio!

Maman   Hm. Eh bien, tu devrais aussi apprendre à ne pas gaspiller le papier, alors!

Moi   À propos, cet après-midi je vais planter des arbres avec le groupe écolo du quartier!

Answer Key

Écoutons

A (5 points: 1 point per item)

1. b
2. c
3. a
4. a
5. b

B (10 points: 2 points per item)

6. Elle voudrait acheter une voiture hybride.
7. Il dit qu'elles sont chères.
8. Il se déplace en vélo.
9. Il doit écouter la météo.
10. Elle lui suggère de le conduire au lycée.

Lisons

C (5 points: 1 point per item)

11. la moins bonne
12. moins
13. moins
14. provoque
15. à cause de

D (5 points: 1 point per item)

16. a
17. b
18. a
19. b
20. b

Culture

E (10 points: 2 points per item)

21. a
22. b
23. a
24. b
25. a

Vocabulaire

F (5 points: 1 point per item)

26. c
27. d
28. e
29. f
30. a

G (10 points: 2 points per item) Answers will vary. Possible answers:

31. à la déforestation
32. il y a des maladies
33. un tremblement de terre
34. pollution
35. recycler

Grammaire

H (10 points: 2 points per item)

36. L'environnement doit être protégé.
37. D'autres moyens de transport doivent être utilisés.
38. L'eau ne peut pas être gaspillée.
39. Les produits biologiques doivent être préférés.
40. Les appareils électriques doivent être éteints.

I (10 points: 1 point per item) Answers will vary. Possible answers:

41. soit
42. fasse
43. partions
44. puisse
45. ne pas gaspiller
46. pleuve
47. marche
48. arriver
49. arrête
50. viennes

J (10 points: 2 points per item)

51. Je suis moins sportif/sportive que toi.
52. Nous avons autant de neige cet hiver que l'année dernière.
53. C'est la marée noire la plus grande du siècle.
54. Ce tremblement de terre a fait moins de victimes que prévu.
55. Hier, il y a eu le plus gros orage de la saison.

Écrivons

K (10 points) Answers will vary. Possible answer:

Je pense que d'un côté, les gens veulent que l'environnement s'améliore mais d'un autre côté, ils ne veulent pas faire l'effort nécessaire pour cela. Par exemple, ils achèteraient des voitures hybrides à condition qu'elles soient moins chères, Etc.

L (10 points) Answers will vary. Possible answer:

Chère Francine,

Je veux que tu profites de tes années au lycée. Mais méfie-toi des gens qui font la fête et rien de plus... quand tu les reverras dans 10 ou 15 ans, ce sera la même histoire, crois-moi. Et surtout, étudie régulièrement. C'est ce qu'il y a de plus important si tu veux réussir. Etc.

Scripts: Quizzes

Application 1

A 1. On prévoit jusqu'à 30 cm de pluie dans les 24 heures à venir. Les habitants de la ville évacuent depuis ce matin.

2. La neige a fait trois victimes sur les pistes. Mais neuf personnes ont été retrouvées par l'équipe de sauvetage.

3. L'accès à la mer est interdit parce que la lave pourrait bientôt couler vers la plage.

4. Le feu a atteint la forêt qui se trouve près de l'autoroute 7. Si vous devez vous déplacer, prenez la 5, qui est plus loin de la forêt.

5. Surtout, n'arrosez pas votre pelouse plus d'une fois par semaine. Il n'a plus plu depuis deux mois et on ne prévoit pas de pluie avant le mois prochain.

Application 2

A 1. Moi, je vais partout à vélo. S'il pleut, je prends le métro. Si je pars en vacances, c'est en train. Rien de plus facile!

2. Eh bien, j'aimerais acheter une de ces voitures hybrides, et dès que j'aurai assez d'argent, j'en achèterai une.

3. Ce que je sais, c'est que quand j'étais jeune, on marchait, voilà tout! Et puis, cela ne consommait pas d'énergie au moins.

4. Moi, je mange des produits bio chez moi, parce que ma mère le veut, mais autrement, je n'en mangerais pas.

5. J'ai fait installer des panneaux solaires l'année dernière, et déjà, je vois la différence.

SCRIPTS

CHAPITRE **7**

Examen

A Ceci est une alerte. La coulée de lave menace le village. Les habitants de la région doivent évacuer le plus vite possible. Prenez l'autoroute direction Sauville, et prenez garde aux incendies possibles aux endroits touchés par la lave. On prévoit des centaines de véhicules sur l'autoroute, alors méfiez-vous. De plus, il sera difficile de voir à cause des fumées provoquées par les incendies. On vous conseille d'emporter de l'eau avec vous au cas où vous auriez du mal à en trouver. Un centre de services sera là pour vous aider dès que vous arriverez à Sauville.

B

Bertrand	Salut Karine! Quoi de neuf?
Karine	Je vais m'acheter une voiture hybride.
Bertrand	Vraiment? On dit qu'elles sont chères.
Karine	Pas quand tu penses au prix de l'essence!
Bertrand	Attends… les hybrides consomment de l'essence…
Karine	Oui, mais beaucoup moins! Si tu veux que je prenne ma calculatrice…
Bertrand	Ça va, ça va, je te crois. Moi aussi, j'aimerais avoir une voiture hybride!
Karine	Je vois que tu as toujours ton vélo. C'est encore plus écolo!
Bertrand	Oui, mais quand il pleut, tu sais, c'est pas marrant. Personne ne te voit.
Karine	Je suppose que non. Mais il y a le métro pour les jours de pluie.
Bertrand	Oui… si j'écoute la météo avant de partir.
Karine	Bertrand, je suis à côté. S'il pleut, tu m'appelles et je t'emmène en cours.
Bertrand	C'est sympa. Et puis ton hybride sera deux fois plus écolo!

Vocabulaire 1

A Match each headline to an image below.

a.

b.

c.

d.

e.

_____ 1. Dernier sondage: Druout en 1ère place

_____ 2. 75 % des électeurs se sont présentés hier

_____ 3. Manifestation devant le bureau de vote

_____ 4. Le ministre du Travail démissionne

_____ 5. Victoire étonnante pour Lascasse

SCORE   /5

B Decide which political system the following statements describe
a) une monarchie or **b) une république.**

_____ 6. On a le droit de voter pour se faire représenter.

_____ 7. L'aîné(e) devient le chef de l'état à la mort du père ou de la mère.

_____ 8. Il y a un parti politique d'opposition.

_____ 9. Le roi ou la reine est le chef de l'état.

_____ 10. Le pouvoir est partagé entre le président, le premier ministre et le parlement.

SCORE   /5

QUIZ: VOCABULAIRE 1

C Using the expressions in the box, fill in the blanks to complete this conversation.

il y a peu de chance	**à ce que l'on prétend**	**pour ma part**
à supposer que ce soit vrai	**en ce qui me concerne**	**il est probable que**

    Fabien   (11) _____, le ministre a démissionné.

    Martine   (12) _____, je pense qu'il ne pouvait rien faire d'autre. Depuis deux mois il y a tous les jours des manifestations devant son cabinet.

    Fabien   Tu crois que ce qu'on dit de lui, (13)_____, ça va changer quelque chose?

    Martine   (14) _____, tout ça n'est pas vrai. Mais tu sais très bien comment ça marche. L'opposition va en profiter!

    Fabien   Oui, (15) _____ que son parti politique gagne aux prochaines élections.

SCORE	/10

D Choose the correct word in parentheses to complete each sentence.

16. Parfois, les candidats parlent du problème des (urnes / immigrants) pendant leur campagne.

17. Le Parlement comprend deux (élections / chambres).

18. Dans le (cabinet / régime) démocratique, on a le droit de voter.

19. De temps en temps, (l'opposition / l'état) peut étonner en remportant une victoire.

20. Je ne (suppose / partage) pas ton point de vue.

SCORE	/10

TOTAL SCORE	/30

Grammaire 1

A Fill in the blanks using the correct form of **lequel** or one of its contracted forms.

1. Ce candidat ne comprend pas les électeurs _____ il veut plaire.

2. Avec tous ces guichets, elle ne sait pas _____ il faut s'adresser.

3. On parle d'une certaine candidate cette année, mais _____?

4. Les questions _____ ce candidat a répondu ont été publiées dans les journaux.

5. Ma prof est la femme d'un député, mais je ne sais pas _____.

> SCORE   /5

B Using the following sentences as cues, ask for more information using one of the contracted forms of **lequel.**

6. Figure-toi que j'ai déjeuné à côté d'un député!

_____

7. Nous devrions travailler à la campagne de cette candidate.

_____

8. Ce matin, j'ai apporté un café à un des candidats.

_____

9. Veux-tu aller à la manifestation avec moi demain?

_____

10. On parle toujours des mêmes problèmes pendant leur campagne électorale.

_____

> SCORE   /10

C Fill in the blanks with the correct form of the verb in parentheses.

11. Je ne crois pas que ce candidat _____ franchement hier. (parler)

12. Je suis ravie que vous _____ aux dernières élections! (gagner)

13. Ça ne nous étonne pas que ces députés _____ à la veille des élections. (démissionner)

14. C'est étonnant que si peu de candidats _____ aux élections en novembre dernier. (se présenter)

15. Je doute que tu _____ envie de participer à ce débat. (avoir)

SCORE   /10

D Rewrite each sentence, putting the verb in boldface type in the past tense.

16. Il est possible que ton candidat préféré **remporte** la victoire.

_____

17. Il y a peu de chance que les sénateurs **décident** de partir avant les élections.

_____

18. Penses-tu que je **peux** voter pour un candidat de l'opposition?

_____

19. Je suis content que tu **participes** à la campagne électorale de ce candidat.

_____

20. Je n'arrive pas à croire qu'on **annule** la manifestation!

_____

SCORE   /10

TOTAL
SCORE   /35

Application 1

Écoutons

A Listen to these statements and decide whether they were made **a)** before, **b)** during or **c)** after an election.

1._____   2._____   3._____   4._____   5._____

| SCORE | /10 |

Lisons

B Read this news article and decide whether the statements are **a) vrai** or **b) faux.**

Liège, 4 novembre – Comme les bulletins de vote n'ont pas encore pu être tous comptés à cause du vol de certaines urnes, on ne sait toujours pas lequel des deux candidats a gagné les élections. Aucun des deux candidats ne sait s'il va siéger à la chambre des députés. Le candidat de l'opposition Thierry Vanbroeck nous a dit ce matin, «Je ne vais certainement pas me retirer. Il faudra revoter si nécessaire.» La députée actuelle, Sophie Renard, ne parle pas à la presse, préférant se reposer en famille. La campagne a été longue pour Mme Renard, surtout à cause de ses ennemis politiques qui demandent qu'elle démissionne depuis plusieurs mois. Mais d'après un sondage récent, Mme Renard serait la candidate préférée malgré ces critiques.

_____ 6. À ce que l'on prétend, quelqu'un a volé des urnes.

_____ 7. La campagne a été difficile, surtout en ce qui concerne Mme Renard.

_____ 8. Il y a peu de chance que M. Vanbroeck laisse la victoire à Mme Renard.

_____ 9. Il est probable que Mme Renard démissionne.

_____ 10. C'est Mme Renard qui est actuellement sénateur.

| SCORE | /10 |

QUIZ: APPLICATION 1   **CHAPITRE 8**

Écrivons

C You and your friends are supporting the opposition candidate for congress. Write a conversation, in French, in which you express your point of view in terms of what must be done — and by when — if the campaign is to succeed. Use the past subjunctive when discussing what must be accomplished. The conversation must have at least five lines.

_____

_____

_____

_____

_____

_____

_____

_____

_____

_____

_____

_____

_____

| SCORE | /15 |

| TOTAL SCORE | /35 |

Vocabulaire 2

CHAPITRE **8**

QUIZ

A Label the following images.

_____ 1.   _____ 2.   _____ 3.

_____ 4.   _____ 5.

| SCORE | /5 |

B Fill in the blanks using the best phrase for each situation.

| **Au secours!** | **Au feu!** | **Appelez la police!** |
| **Au voleur!** | **À moi!** | |

6. Ça brûle dans la classe! _____

7. Il a pris mon sac! _____

8. Je ne sais pas nager! _____

9. Il y a eu un accident! _____

10. Je me suis foulé la cheville! _____

| SCORE | /5 |

QUIZ: VOCABULAIRE 2   CHAPITRE **8**

C Choose the best words from the box to complete each sentence. Make all the necessary changes.

permis de conduire	**photo**	**contacter**	**contravention**
aux urgences	**à la mairie**	**indiquer**	

11. Quand j'ai eu mon accident de voiture, j'ai dû montrer mon

_____.

12. Après avoir perdu ses papiers, mon père a dû aller

_____.

13. Ce chauffeur de taxi n'a reçu que trois _____ cette
année.

14. Il faut ajouter ta _____ d'identité à tes papiers.

15. Vous serait-il possible de/d' _____ mes parents?

SCORE   /5

D Write where you would go, or who would you call, and why in the following situations. Use the conditional in your answers.

16. J'ai perdu mes papiers.

_____

17. J'ai eu un accident de voiture, mais je ne me suis pas blessé.

_____

18. Il y a le feu dans le garage!

_____

19. On m'a volé mon portefeuille!

_____

20. Je me suis cassé la jambe!

_____

SCORE   /15

TOTAL
SCORE   /30

Grammaire 2

A Supply the conditional form of the verb in parentheses.

1. Si tu n'avais pas éteint ce feu, tous mes papiers _____ brûlé. (avoir)

2. Si on m'indiquait comment faire, je le _____. (faire)

3. On m'a dit que je _____ mon permis de conduire aujourd'hui. (recevoir)

4. Mes parents _____ qu'on fasse moins de bruit. (souhaiter)

5. Quand j'étais petit, je croyais que je _____ pompier. (devenir)

SCORE _____ /5

B Fill in the blanks logically, using the correct forms of either **vaincre** or **convaincre**.

6. Ce candidat ne me _____ pas du tout.

7. Les Romains ont _____ une grande partie de l'Europe.

8. J'ai réussi à _____ ma peur!

9. Le guide m'a _____ qu'il ne fallait pas faire de feu dans le parc ce jour-là à cause de la sécheresse.

10. Ne signe pas si tu n'es pas _____ que le constat est bien dressé.

SCORE _____ /10

C Create sentences in the conditional tense, making all the necessary changes to the elements provided.

11. je / faire / feu / si / il / ne / pleuvoir / pas

_____

12. je / dire / la vérité / si / je / ne pas avoir peur / que / tu / se fâcher

_____

13. si / ils / avoir / permis / ils / pouvoir / conduire

_____

14. si / vous / partir à temps / chaque matin / vous / ne pas rater / bus

_____

15. si / nous / vouloir / maigrir / nous / faire du sport

_____

SCORE _____ /10

D Finish these sentences as you like.

16. Si je trouvais un million de dollars, _____

_____

17. Si vous aviez téléphoné avant d'arriver, _____

_____

18. Si tu n'étais pas arrivé en retard, _____

_____

19. Si ces chaussures ne coûtaient pas si cher, _____

_____

20. Si elles ne faisaient pas de régime, _____

_____

SCORE _____ /10

TOTAL
SCORE _____ /35

Application 2

Écoutons

A Some people are talking about what they would do if they had a lot of money. Listen to each person, and then indicate whether this person is: **a)** someone who loves nature, **b)** someone who enjoyed his or her school, **c)** someone who wants to support a candidate running for office, **d)** someone who loves movies, or **e)** someone who wants people to get involved in politics.

_____ 1.

_____ 2.

_____ 3.

_____ 4.

_____ 5.

SCORE _____ /10

Lisons

B Mireille has lost her passport! Read this conversation and then decide whether the statements below are **a) vrai** or **b) faux.**

Le fonctionnaire	Allô, Mairie de Genève, Service Documentation.
Mireille	Bonjour, monsieur. J'ai perdu mon passeport et je voudrais savoir comment le faire remplacer le plus vite possible.
Le fonctionnaire	Je suppose que vous êtes Suisse? Bien, venez vous présenter à la mairie, au guichet des passeports.
Mireille	On m'a dit de n'apporter qu'une photo d'identité.
Le fonctionnaire	Non, il faudrait que vous en apportiez trois. Et nous aurons besoin de votre carte d'identité aussi.
Mireille	Est-ce que je pourrais envoyer mon frère à ma place?
Le fonctionnaire	Non, il nous faudra votre signature.
Mireille	Entendu. Merci de votre aide, monsieur.

_____ 6. Mireille devra aller à la mairie elle-même.

_____ 7. On lui a dit d'apporter son permis de conduire.

_____ 8 Elle n'aura besoin que d'une photo d'identité.

_____ 9. Il faudra qu'elle signe ses papiers.

_____ 10. Le fonctionnaire a bien aidé Mireille.

SCORE _____ /10

QUIZ: APPLICATION 2

Écrivons

C You are vacationing in Monaco, and you've been robbed. All your documents have been stolen along with your money. What would you do? Go step by step using sequencing words such as "first," "then," "afterwards," etc. Be sure to use the conditional.

_____

_____

_____

_____

_____

_____

_____

_____

_____

_____

_____

SCORE	/15

TOTAL SCORE	/35

Lecture

A Read through this text once, and write one sentence below it about a point you found interesting. Next, go back and read the text a second time, taking notes on the most important facts.

La liberté de ne pas être libre est peut-être aussi une forme de liberté.
Elie Wiesel est né le 30 septembre 1928 en Roumanie. Il a été envoyé dans les camps de concentration pendant la Seconde Guerre mondiale. Par la suite, il a fait des études de philosophie à Paris et après ses études, il a été écrivain, journaliste, philosophe et professeur. En 1958, il a publié *La nuit,* un récit de sa vie dans les camps. Arrivé aux États-Unis en 1963, il est devenu citoyen américain. Il est professeur à l'Université de Boston depuis 1976. Grand défenseur des droits de l'homme, Elie Wiesel a travaillé pour la cause des Juifs soviétiques, des Indiens du Nicaragua, des réfugiés cambodgiens, des Kurdes, des victimes de l'apartheid en Afrique du Sud et des victimes de la guerre en ex-Yougoslavie. Il a reçu de nombreux prix, y compris le prix Nobel de la paix en 1986. Aujourd'hui encore, il est souvent invité à parler en public, le plus souvent en anglais ou en français, même s'il parle six ou sept langues. Elie Wiesel vit actuellement à New York avec sa femme et son fils.

_____

_____

SCORE	/15

B Decide whether the following statements are **a) vrai** or **b) faux.**

_____ 1. Elie Wiesel est un Français qui habite aux États-Unis.

_____ 2. Il a été emprisonné pendant la Seconde Guerre mondiale.

_____ 3. Son livre *La nuit* ne parle que de ses études.

_____ 4. Il a beaucoup travaillé pour la paix.

_____ 5 Aujourd'hui, Elie Wiesel habite à New York.

SCORE	/15

C Qu'est-ce que tu penses d'une personne comme Elie Wiesel?

_____

_____

SCORE	/20

TOTAL SCORE	/50

Écriture

A Imagine that you're running for president. Write a short speech to explain what you would do if elected. What you would say to whom, what you would change, etc. Mention at least five different ideas.

_____

_____

_____

_____

_____

_____

_____

_____

_____

_____

SCORE	/25

B Think of some political speech you heard. Did the speaker convince you? Write a paragraph explaining why or why not.

_____

_____

_____

_____

_____

_____

_____

SCORE	/25

TOTAL SCORE	/50

Examen

Écoutons

A Listen to the speech and then answer the questions.

_____ 1. Qui est-ce qui parle?
   a. un élève   b. un candidat   c. un fonctionnaire

_____ 2. Qui est-ce qui l'écoute?
   a. des électeurs   b. d'autres élèves   c. des députés

_____ 3. Les élèves ne vont pas voter parce qu'ils sont…
   a. paresseux   b. trop jeunes   c. trop occupés

_____ 4. Ils veulent profiter de leurs vacances en…
   a. travaillant   b. étudiant   c. voyageant

_____ 5. Il est probable que les élèves organisent…
   a. une élection   b. un parti politique   c. une manifestation

SCORE _____ /5

B Listen to the conversation and then fill in the blanks below.

6. La jeune femme a besoin d'un _____.

7. Elle doit se présenter à la _____.

8. Il faut qu'elle apporte _____.

9. Elle doit arriver avant _____.

10. Le monsieur auquel elle a parlé est un _____.

SCORE _____ /5

EXAMEN   CHAPITRE **8**

Lisons

C Read this opinion and then decide whether the following statements are **a) vrai** or **b) faux.**

À supposer que ce soit vrai, la démocratie devrait marcher dans tous les pays. On dit qu'elle améliore toutes les sociétés. Pour ma part, je ne partage pas ce point de vue. Les pays sont tellement différents les uns des autres que ça m'étonnerait qu'un même régime marche bien dans chacun d'entre eux. Trois choses me font dire cela. D'abord, les croyances, ensuite, les économies et finalement, l'histoire, — toutes ces choses sont uniques à chaque société. À ce que l'on prétend, la démocratie réduirait ces différences. En ce qui me concerne, après avoir été ministre des Affaires étrangères pendant quinze ans, je ne suis pas convaincu que cela soit vrai.

_____11. Cet article montre une certaine opposition à la démocratie pour tous.

_____12. Cependant, l'auteur n'a pas donné d'exemples de pays.

_____13. La démocratie marcherait avec n'importe quelle culture.

_____14. L'auteur trouve que l'idée de démocratie pour tous n'est pas logique.

_____15. Cet auteur ne sait pas de quoi il parle.

SCORE _____ /5

D Read this news item and then answer the questions.

Il y a eu un accident hier lors d'une manifestation devant la mairie. Un camion est rentré dans la foule. On a appelé les secours et l'ambulance est arrivée dans les dix minutes. Les blessés ont été emmenés aux urgences. Le chauffeur a dit qu'il n'avait pas pu s'arrêter à temps. Il avait tous ses papiers, mais la presse n'a pas donné son nom. Les familles des blessés voudraient qu'on lui retire son permis de conduire. À ce que l'on prétend, il y a peu de chance que cela arrive parce que c'est son métier et que c'est ainsi qu'il gagne sa vie. Mais il devra sûrement payer une contravention.

16. Où étaient les manifestants? _____

17. Pourquoi le camion est-il rentré dans la foule?_____

18. Qu'est-ce qui est arrivé aux blessés?_____

19. Qui est ce chauffeur de camion? _____

20. Qu'est-ce que les familles souhaitent? _____

SCORE _____ /10

EXAMEN   CHAPITRE **8**

Culture

E Choose the right word in each sentence.

21. Les juges en France sont (élus / nommés).

22. L'école de la magistrature est à (Bordeaux / Genève).

23. Dans les tribunaux de commerce, les juges sont des (fonctionnaires / commerçants).

24. En Belgique, il y a (deux / trois) communautés culturelles.

25. L'Union européenne a pour but la libre circulation des (personnes / transports).

> SCORE _____ /5

Vocabulaire

F Match the situation at left with the public service that would help.

_____ 26. Au feu!

_____ 27. Il y a eu un accident et il y a des blessés!

_____ 28. Ma petite fille est tombée et je crois qu'elle s'est cassé le bras.

_____ 29. Au voleur!

_____ 30. J'ai perdu mon passeport!

> a. la police
> b. les urgences
> c. la mairie
> d. la sirène
> e. l'ambulance
> f. les pompiers

> SCORE _____ /5

G Fill in the blanks with the most appropriate vocabulary term from this chapter.

31. Le policier m'a aidé en _____ le constat.

32. Je n'ai pas encore mon _____ de conduire.

33. Ils ne _____ pas ton point de vue.

34. Vous mettez votre _____ de vote dans l'urne, comme ça.

35. Le _____ a deux chambres où siègent les députés et les sénateurs.

> SCORE _____ /10

EXAMEN   CHAPITRE **8**

Grammaire

H Choose **auquel/duquel** or a variation to fill in the blanks.

36. Où est la mairie _____ tu es allé pour avoir ton passeport?

37. C'est le sénateur _____ on a entendu parler.

38. Il y a peu de chance que ce soient les mêmes policiers _____ tu t'es adressé.

39. Ce sont des idées _____ je pense depuis longtemps.

40. Ce sont des problèmes _____ il ne veut pas parler.

> SCORE   /5

I Choose the right form of each verb in parentheses.

41. Il est probable que le candidat _____ à la presse avant hier. (parler)

42. À supposer qu'il _____ déjà _____, qu'est-ce que cela peut faire? (partir)

43. On m'a expliqué que je _____ arriver à la mairie avant midi. (devoir)

44. Il est peu probable qu'ils _____ le temps de voir leurs amis avant de repartir. (avoir)

45. J'aurais aimé que ce député _____ avant les élections! (s'expliquer)

> SCORE   /5

J Create adverbs based on the adjectives in the box and then fill in the blanks with the adverbs that most logically complete each sentence.

actuel	intelligent	final	poli	vrai

46. Ce candidat a parlé _____.

47. Je travaille _____ à sa campagne d'élection.

48. Il a discuté _____ avec le parti de l'opposition malgré qu'il ne partage pas leur opinion.

49. Il pense _____ aux problèmes des électeurs.

50. _____, je suis convaincu qu'il va gagner.

> SCORE   /5

EXAMEN   CHAPITRE **8**

K Fill in the blanks with the conditional of the verb in parentheses.

51. Si j'avais le temps, je _____ (travailler) à la campagne de ce candidat.

52. Franchement, qu'est-ce que tu _____ (devenir) sans moi?

53. Si la police n'était pas arrivée, ils m'_____ (avoir) volé ma voiture!

54. Je me suis dit que je ne _____ (prendre) pas de dessert.

55. Vous _____ (devoir) l'emmener avec vous en week-end.

SCORE _____ /5

L Fill in the blanks with the correct form of either **vaincre** or **convaincre**.

56. Normalement, les empires doivent _____ d'autres cultures.

57. Alors, est-ce que mon candidat vous a _____ de son point de vue?

58. _____ votre stress! Faites du yoga!

59. Dans quelques années, nous _____ toutes les maladies *(sickness)*.

60. Je ne sais pas si tu _____ ce policier quand tu lui diras que tu as 21 ans!

SCORE _____ /5

M Fill in the blanks with the correct form of **chacun**.

61. _____ de mes amies a essayé la même robe.

62. Cette année, _____ de mes cours est difficile.

63. _____ des candidats parlera à son tour.

64. Mesdames, vous rendez _____ un bulletin de vote.

65. _____ des votes sera compté.

SCORE _____ /5

EXAMEN   CHAPITRE **8**

Écrivons

N Recently, a local election had to undergo a recount because there were doubts as to how ballots were handled. Do you think votes should be counted by hand (à la main) or by computer (par ordinateur)? Give three reasons to support your point of view.

_____

_____

_____

_____

_____

_____

_____

_____

| SCORE | /10 |

O You've been in a minor car accident. No one is hurt, but you can't drive away. Write a conversation between you and the person you call (a parent? the police?). Write at least five lines.

_____

_____

_____

_____

_____

_____

_____

_____

| SCORE | /15 |

| TOTAL SCORE | /100 |

Answer Key

Vocabulaire 1

A (5 points: 1 point per item)
1. d
2. b
3. a
4. e
5. c

B (5 points: 1 point per item)
6. b
7. a
8. b
9. a
10. b

C (10 points: 2 points per item)
11. À ce que l'on prétend
12. En ce qui me concerne/Pour ma part
13. à supposer que ce soit vrai
14. Pour ma part/En ce qui me concerne
15. il y a peu de chance

D (10 points: 2 points per item)
16. immigrants
17. chambres
18. régime
19. l'opposition
20. partage

Grammaire 1

A (5 points: 1 point per item)
1. auxquels
2. auquel
3. de laquelle
4. auxquelles
5. duquel

B (10 points: 2 points per item)
6. À côté duquel as-tu déjeuné?
7. À la campagne de laquelle devrions-nous travailler?
8. Auquel as-tu apporté un café?
9. À laquelle veux-tu aller?
10. Desquels parle-t-on?

C (10 points: 2 points per item)
11. ait parlé
12. ayez gagné
13. aient démissionné
14. se soient présentés
15. aies eu

D (10 points: 2 points per item)
16. Il est possible que ton candidat préféré ait remporté la victoire.
17. Il y a peu de chance que les sénateurs aient décidé de partir avant les élections.
18. Penses-tu que j'aie pu voter pour un candidat de l'opposition?
19. Je suis content que tu aies participé à la campagne électorale de ce candidat.
20. Je n'arrive pas à croire qu'on ait annulé la manifestation!

Application 1

A (10 points: 2 points per item)
1. c
2. a
3. a
4. b
5. c

B (10 points: 2 points per item)
6. a
7. a
8. a
9. b
10. b

C (15 points) Answers will vary. Possible answer:

Toi Pour ma part, je pense qu'il faut aller aux manifestations pour parler avec les gens.

Ton ami Oui, mais avant d'aller aux manifestations, il faut que nous ayons préparé un petit discours pour expliquer ce que notre candidat veut faire.

Toi Oui, c'est une bonne idée et peut-être aussi qu'on ait fait faire des posters pour les donner aux gens. Etc.

Answer Key

Vocabulaire 2

A (5 points: 1 point per item)
1. un pompier
2. une policière
3. une ambulancière
4. une fonctionnaire
5. un voleur

B (5 points: 1 point per item)
6. Au feu!
7. Au voleur!
8. Au secours!
9. Appelez la police!
10. À moi!

C (5 points: 1 point per item)
11. permis de conduire
12. à la mairie
13. contraventions
14. photo
15. contacter

D (15 points: 3 points per item)
Answers will vary. Possible answers:
16. J'irais à la mairie pour les faire refaire.
17. J'appellerais la police pour dresser un constat.
18. J'appellerais les pompiers pour éteindre l'incendie.
19. J'irais au commissariat de police pour dresser un constat.
20. Je demanderais qu'on appelle une ambulance pour m'emmener aux urgences.

Grammaire 2

A (5 points: 1 point per item)
1. auraient
2. ferais
3. recevrais
4. souhaiteraient
5. deviendrais

B (10 points: 2 points per item)
6. convainc
7. vaincu
8. vaincre
9. convaincu
10. convaincu

C (10 points: 2 points per item)
11. Je ferais un feu s'il ne pleuvait pas.
12. Je dirais la vérité si je n'avais pas peur que tu te fâches.
13. S'ils avaient leur permis ils pourraient conduire.
14. Si vous partiez à temps chaque matin vous ne rateriez pas votre bus.
15. Si nous voulions maigrir nous ferions du sport.

D (10 points: 2 points per item)
Answers will vary. Possible answers:
16. j'achèterais mon propre avion.
17. j'aurais pu préparer quelque chose.
18. on n'aurait pas raté le commencement du film.
19. je m'en achèterais trois paires.
20. elles mangeraient un petit gâteau.

Application 2

A (10 points: 2 points per item)
1. c
2. d
3. a
4. e
5. b

B (10 points: 2 points per item)
6. a
7. b
8. b
9. a
10. a

C (15 points) Answers will vary. Possible answer:
D'abord, j'appellerais la police ou j'irais au commissariat de police pour dresser un constat. Ensuite, je me renseignerais pour savoir ce qu'il faut faire pour faire refaire mes papiers. Etc.

Answer Key

Lecture

A (15 points) Answers will vary. Sample answer:

Je trouve intéressant qu'il soit devenu américain.

B (15 points: 3 points per item)

1. b
2. a
3. b
4. a
5. a

C (20 points)

Answers will vary. Sample answer. Après avoir été fait prisonnier pendant la guerre, il aurait pu être déçu par les hommes. Mais au lieu de cela, il a passé toute sa vie à défendre et à aider des gens partout dans le monde. C'est un grand personnage!

Écriture

A (25 points) Answers will vary. Sample answer.

Si vous votez pour moi, mon but sera de travailler pour la paix. D'abord, je ferais tout ce que je peux pour convaincre les peuples de ne plus se faire la guerre. Ensuite, j'encouragerais les médecins à trouver des médicaments pour soigner tous les malades. Etc.

B (25 points) Answers will vary. Sample answer:
Je trouve qu'en général les hommes politiques font tous le même genre de discours. Avant d'être élus, ils disent tout ce qu'ils font faire pour améliorer le monde dans lequel nous vivons mais une fois élus, ils ne font rien. Leurs beaux discours ne me convainquent plus.

Answer Key

Écoutons

A (5 points: 1 point per item)

1. a   4. c
2. b   5. c
3. b

B (5 points: 1 point per item)

6. passeport
7. mairie
8. trois photos et sa carte d'identité
9. midi
10. fonctionnaire

Lisons

C (5 points: 1 point per item)

11. a   14. a
12. a   15. b
13. b

D (10 points: 2 points per item)
Answers will vary. Possible answers:

16. devant la mairie
17. Le chauffeur n'a pas pu s'arrêter.
18. On les a emmenés aux urgences.
19. On ne sait pas. La presse n'a pas publié le nom du chauffeur.
20. Elles voudraient qu'on lui retire son permis.

Culture

E (5 points: 1 point per item)

21. nommés
22. Bordeaux
23. commerçants
24. trois
25. personnes

Vocabulaire

F (5 points: 1 point per item)

26. f   29. a
27. e   30. c
28. b

G (10 points: 2 points per item)

31. dressant   34. bulletin
32. permis   35. parlement
33. partagent

Grammaire

H (5 points: 1 point per item)

36. à laquelle
37. duquel
38. auxquels
39. auxquelles
40. desquels

I (5 points: 1 point per item)

41. ait parlé
42. soit parti
43. devais
44. aient eu
45. se soit expliqué

J (5 points: 1 point per item)

46. intelligemment
47. actuellement
48. poliment
49. vraiment
50. Finalement

K (5 points: 1 point per item)

51. travaillerais
52. deviendrais
53. auraient
54. prendrais
55. devriez

L (5 points: 1 point per item)

56. vaincre
57. convaincu
58. Vainquez
59. vaincrons
60. convaincras

M (5 points: 1 point per item)

61. Chacune
62. chacun
63. Chacun
64. chacune
65. Chacun

Écriture

N (10 points) Answers will vary. Possible answer:

Pour ma part, je ne pense pas qu'on doive compter les bulletins de vote à la main. On utilise les ordinateurs pour tout, pourquoi pas pour les élections? À ce qu'on en dit, ce serait plus rapide, parce qu'il n'y aurait pas de doute. On commence à pouvoir voter par ordinateur, alors je pense que ça va aller mieux.

O (15 points) Answers will vary. Sample answer:

Le policier	Allô, le commissariat de police.
Moi	Oui, bonsoir, j'ai eu un accident de voiture.
Le policier	Est-ce qu'il y a des blessés?
Moi	Non. Je ne suis pas blessé.
Le policier	Est-ce qu'il y a d'autres personnes blessées?
Moi	Non. Je suis seul.
Le policier	Où êtes vous?
Moi	Sur la 5, juste à la sortie de Monte-Carlo.
Le policier	J'envoie une voiture tout de suite. Restez près de votre voiture, mais pas sur la route. Vous m'entendez?
Moi	Oui, tout à fait. Merci.
Le policier	À bientôt, jeune homme.

Scripts: Quizzes

Application 1

A **Voice 1** À supposer que ce soit vrai, l'opposition a gagné!

  Voice 2 Bonjour, madame, je fais un sondage auprès des électeurs. Savez-vous pour qui vous allez voter demain?

  Voice 3 J'ai entendu dire qu'il y aura des manifestations devant certains bureaux de vote.

  Voice 4 Avancez, Monsieur, mettez votre bulletin de vote dans l'urne.

  Voice 5 Les bureaux de vote sont déjà fermés, mais les bulletins de vote n'ont pas encore été comptés.

Application 2

A 1. À supposer que ça m'arrive, je donnerais de l'argent à la campagne de mon candidat préféré.

  2. Pour ma part, j'ouvrirais un cinéma à l'entrée gratuite.

  3. Moi, je ferais un gros bateau dans lequel tous les animaux pourraient habiter s'il y avait une inondation. Et puis je ferais le tour du monde en bateau avec les animaux.

  4. Je ferais un spot publicitaire à la télé pour dire aux jeunes qu'il faut aller voter.

  5. Il y a peu de chance que j'en profite, moi, alors je le donnerais à mon ancienne école, où j'ai été très heureux.

Examen

A Écoutez-moi bien, mes amis: on est tous d'accord que l'année scolaire est déjà assez longue! Maintenant, à ce que l'on prétend, le gouvernement veut nous faire aller au lycée même pendant l'été! … Certains penseront que ce n'est peut-être pas si mauvais que ça—que cela pourrait même nous aider pour les matières difficiles—mais je vous dis, à chacun et à chacune d'entre vous, que si ça nous arrive, eh bien, on pourra dire au revoir les vacances, au revoir, la chance de partir en voyage et d'apprendre quelque chose sur la vie. Et hop! directement vers le monde du travail, pas d'arrêt! …Eh bien, moi, je ne partage pas leur point de vue! Et si on n'a pas encore le droit de vote, on a bien le droit de se faire entendre. Organisons des manifestations! Invitons la presse! Ça a marché pour les étudiants; pourquoi cela ne marcherait-il pas pour les élèves? Allez! Je n'ai plus de voix, moi, alors faites entendre la vôtre!

B

Le fonctionnaire	Allô? La Mairie de Poitiers
La jeune fille	Oui, bonjour, j'aurais besoin de quelques renseignements.
Le fonctionnaire	Oui, allez-y, madame.
La jeune fille	C'est mademoiselle… j'ai dix-huit ans et je voudrais faire faire un passeport. Qu'est-ce qu'il faut que je fasse?
Le fonctionnaire	Eh bien, mademoiselle, vous n'avez qu'à venir vous présenter avec votre carte d'identité et trois photos d'identité.
La jeune fille	Est-ce que les photos doivent avoir été prises récemment?
Le fonctionnaire	Oui, et il faut que chacune d'elles porte votre signature.
La jeune fille	D'accord. Et vous êtes ouvert du lundi au vendredi?
Le fonctionnaire	Oui, de huit heures à midi.
La jeune fille	Merci de votre aide, monsieur.
Le fonctionnaire	Je vous en prie, mademoiselle. Au revoir.
La jeune fille	Au revoir.

Géoculture

A Identify the regions on this map.

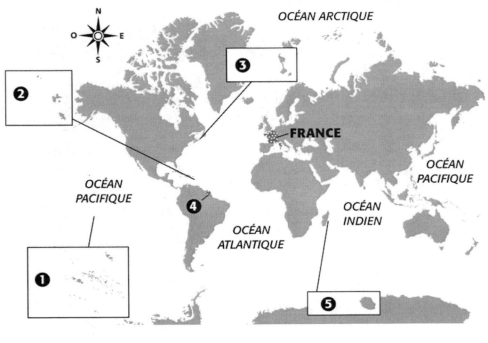

1. _____

2. _____

3. _____

4. _____

5. _____

SCORE	/5

B Match each item on the left with a region on the right.

_____ 6. la réserve Cousteau

_____ 7. une forêt équatoriale très dense

_____ 8. «l'île aux fleurs»

_____ 9. un territoire français en Amérique du Nord

_____ 10. la Fournaise

> a. la Martinique
> b. l'île de la Réunion
> c. Saint-Pierre-et-Miquelon
> d. la Guadeloupe
> e. Kourou
> f. la Guyane française

SCORE	/5

QUIZ: GÉOCULTURE   CHAPITRE **9**

C Underline the best answer.

11. Hiva Oa appartient à l'archipel (des Marquises / des Antilles).

12. Le bagne se trouvait en (Guadeloupe / Guyane).

13. Un pays d'outre-mer ou POM a (plus / moins) d'autonomie qu'un territoire.

14. Une seule personne a survécu à l'éruption de (la Fournaise / la montagne Pelée).

15. C'est du CNES en Guyane que la France envoie des (fusées Ariane / essais nucléaires).

| SCORE | /10 |

D Fill in the blanks to complete each sentence.

16. En 2004, la Polynésie française est devenue un _____.

17. La Grande-Bretagne et la France se sont disputé _____ jusqu'en 1814.

18 Environ 70.000 personnes ont été envoyées au _____ en Guyane.

19. Dans son livre *Voyage autour du monde,* Bougainville a décrit _____ comme un paradis sur terre.

20. En 1848, un décret a aboli _____ dans tous les territoires français.

| SCORE | /10 |

| TOTAL | |
| SCORE | /30 |

Vocabulaire 1

A Match each sentence with one of the images.

a.

b.

c.

d.

e.

_____ 1. Comment trouves-tu cette sculpture?

_____ 2. Quel est ton avis sur cette petite gravure?

_____ 3. Pourquoi prends-tu ce grand tableau en photo?

_____ 4. Prends cette toile et commence ton travail.

_____ 5. Au fait, si vous voulez voir des paysages, allez dans l'autre salle.

SCORE _____ /5

B Match each question with an appropriate answer.

_____ 6. Comment trouves-tu mon croquis?

_____ 7. Cette exposition t'a-t-elle plu?

_____ 8. Quel est ton avis sur cette sculpture?

_____ 9. Qu'est-ce que tu penses des statues de Michel-Ange?

_____ 10. Et ces tableaux, ils te plaisent?

a. Celle-là n'est pas mon style.
b. Ah! Elles sont émouvantes.
c. Ils sont pas mal, mais les natures mortes, ce n'est pas mon style.
d. Oui! Je l'ai trouvée passionnante.
e. Il est pas mal. Tu t'es amélioré!

SCORE _____ /10

QUIZ: VOCABULAIRE 1   **CHAPITRE 9**

C Underline the item in each group that does not belong.

    11. tableau / croquis / sculpteur / portrait / nature morte

    12. poser / peinture / bouger / encadrer / exposer

    13. chevalet / tour / toile / atelier / palette

    14. vernissage / galerie / tube / exposition / tableau

    15. gravure / potier / sculpteur / peintre / modèle

SCORE	/5

D Fill in the blanks using the words or expressions in the box.

au fait	atelier	bouger
toile	pendant que j'y pense	chevalet

    16. Écoute, si tu veux être modèle, tu ne peux surtout pas _____ !

    17. _____, peux-tu me rendre mes peintures à l'huile que je t'ai prêtées?

    18. Ouf! Ça fait du bien de sortir de mon _____ !

    19. _____, Magali nous a invités à son vernissage samedi soir.

    20. Penses-tu que mon _____ est assez grand pour ce tableau?

SCORE	/10

TOTAL	
SCORE	/30

Grammaire 1

A Élodie's mom has brought her to a gallery opening, but can't seem to get her daughter interested. Fill in the blanks with a verb or adjective form.

1. —Ne trouves-tu pas ses paysages relaxants, Élodie?

   —Non, maman, ils ne me _____ pas du tout.

2. —Ah, ce portrait est vraiment surprenant.

   —Ah bon? C'est quoi, au juste, qui te _____?

3. —Ces abstraits sont assez impressionnants.

   —Comment ça? Je ne suis pas du tout _____.

4. —À mon avis, ce que dit ce critique est amusant.

   —Moi, ça ne m'_____ pas du tout.

5. —N'as-tu pas trouvé ce vernissage fatigant, maman?

   —Non, Élodie, ce n'est pas ça qui m'a _____!

SCORE _____ /5

B With the following elements ask questions using inversion.

6. il / poser / comme / modèle

   _____

7. vous / ne pas aller / au vernissage

   _____

8. l'exposition / te / plaire

   _____

9. Liliane et Serge / faire / de la poterie

   _____

10. à quelle heure / tu / s'arrêter / à la galerie / hier

   _____

SCORE _____ /10

QUIZ: GRAMMAIRE 1   CHAPITRE **9**

C Using the answers as cues, ask a logical question using inversion.

11. _____

Le tableau que j'ai préféré c'est l'autoportrait de l'artiste.

12. _____

Oui, j'ai déjà visité l'atelier d'un sculpteur.

13. _____

Non on ne vend pas de palette ici.

14. _____

Je peux te prêter mon atelier une fois par semaine.

15. _____

C'est plus difficile de faire de la peinture à l'huile que des aquarelles.

| SCORE | /10 |

D You and your best friend are of like mind when it comes to art. Agree with his or her opinions below, using the present participles of the underlined verbs.

16. Les natures mortes m'_ennuient_.

_____

17. Je m'_intéresse_ beaucoup plus aux portraits.

_____

18. Les couleurs de ce tableau _changent_ avec la lumière!

_____

19. Ces paysages me _reposent_.

_____

20. Mais les guides m'_énervent_ toujours.

_____

| SCORE | /10 |

| TOTAL SCORE | /35 |

Application 1

Écoutons

A Listen to these art critics and indicate whether each review is **a)** positive or **b)** negative.

_____ 1.

_____ 2.

_____ 3.

_____ 4.

_____ 5.

SCORE _____ /10

Lisons

B Read this conversation and then decide whether the following statements are **a) vrai** or **b) faux.**

Alexis Regarde-moi ce Picasso! Avec un seul croquis il a fait du léger et du triste en même temps. Quel génie. Eh, au fait, qu'est-ce que tu aimes comme peinture, toi?

Maëva Oh, tu sais, … la peinture, c'est pas mon style.

Alexis Ah bon, et quel est donc ton style?

Maëva Moi, j'adore la poterie. Je trouve que ça, c'est de l'art!

Alexis Des bols, des assiettes et des pots? Ça n'a rien de passionnant, ça!

Maëva Mais si, mais si! La poterie, ça raconte l'histoire d'une personne, d'une famille et même de toute une culture. C'est du quotidien, mais c'est aussi de l'art.

Alexis Tiens, tu as peut-être raison. Est-ce que tu sais en faire?

Maëva Oui, bien sûr. J'ai un tour chez moi. Tu veux venir me regarder faire?

Alexis Pourquoi pas? Ça alors! Il se trouve que je connais une artiste!

_____ 6. Alexis trouve que Picasso est génial.

_____ 7. Maëva, elle, n'aime pas du tout l'art.

_____ 8. Alexis connaît bien la poterie.

_____ 9. Il trouve surprenant que Maëva fasse de la poterie.

_____ 10. Maëva n'aime pas qu'on la voie travailler.

SCORE _____ /10

QUIZ: APPLICATION 1

Écrivons

C You are in a great big old museum with a major echo. You can't help overhearing the comments of a nearby visitor. Not only do you disagree with everything he says, but he's also ruining your visit. Write a conversation in which you politely confront him. Be sure to use **si** three times.

_____

_____

_____

_____

_____

_____

_____

_____

_____

_____

_____

_____

_____

_____

SCORE	/15

TOTAL	
SCORE	/35

Vocabulaire 2

A Label the following images.

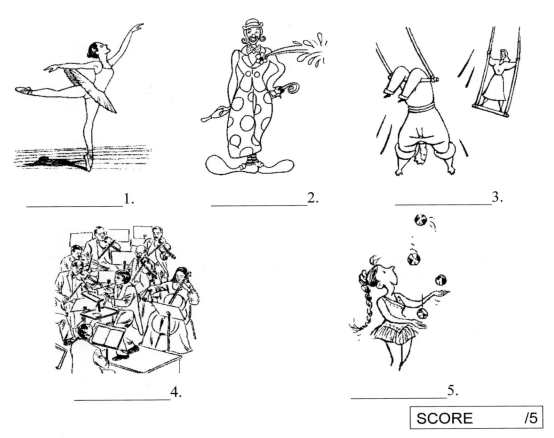

_____ 1. _____ 2. _____ 3.

_____ 4. _____ 5.

SCORE ___ /5

B Underline the best word to complete each sentence.

6. N'oublie pas de donner quelques euros à l'(ouvreuse / orchestre).

7. (Le genre / Le décor) est génial; ça me fait penser à une petite rue parisienne.

8. On dirait que la ballerine perd son (piste / tutu)!

9. Si on se perd, rendez-vous devant (le chapiteau / le chant), d'accord?

10. Si tu vas chanter avec nous, il te faudra une (première / partition).

SCORE ___ /5

QUIZ: VOCABULAIRE 2   CHAPITRE **9**

C Choose the best ending for each sentence.

_____11. Je te recommande plutôt…

_____12. Ne va surtout pas la voir;…

_____13. Ça ne vaut pas la peine de…

_____14. Va le voir sur scène;…

_____15. Ça ne vaut pas le coup…

> a. elle chante faux!
> b. réserver.
> c. de faire la queue, c'est déjà complet.
> d. d'acheter le CD.
> e. il est génial!

SCORE   /10

D Answer the following questions. Use the phrases in the box in your answers.

ils ont l'air de	il me semble que	on dirait que
ça me fait penser à	j'ai l'impression de	j'ai l'impression que

16. Je regarde toujours le chef d'orchestre, pas toi?

_____

17. Que penses-tu de ce décor?

_____

18. Comment trouves-tu cette chorégraphie?

_____

19. Est-ce que tu aimes bien les clowns?

_____

20. La musique polynésienne me fait rêver, pas toi?

_____

SCORE   /10

TOTAL
SCORE   /30

Grammaire 2

A Fill in the blanks logically to complete these comparisons.

1. Je suis _____ grande que ma sœur; si je mets son jean, tu verras mes chevilles!

2. C'est dommage que Lucas ait perdu, mais c'est qu'il court beaucoup _____ vite que les autres.

3. Bravo, maintenant, tu parles _____ bien français que moi!

4. Si tu travaillais _____ que moi, tu aurais les mêmes notes.

5. Grand-mère, tu veux bien m'aider à la cuisine? C'est toi qui sais faire les _____ desserts!

SCORE   /5

B Create sentences using the cues provided. Make any necessary changes or additions.

6. Lydie / chanter / = / bien / Jeannette

_____

7. tes BD / être / − / drôle / les miennes

_____

8. ballerine / + / joli / les autres

_____

9. moi / aimer / musique moderne / + / musique pop

_____

10. spectateurs / applaudir / = / trapézistes / clowns

_____

SCORE   /10

C Answer these questions using the superlative.

11. Comment tu as trouvé cet opéra de Verdi?

_____

12. Qu'est-ce que vous pensez de cette musicienne?

_____

13. Est-ce que tes copains connaissent cet acteur français?

_____

14. Qu'est-ce que les critiques ont dit des œuvres que tu as exposées?

_____

15. Qu'est-ce que les enfants ont aimé au cirque?

_____

SCORE   /10

D Rewrite the sentences below, replacing the underlined words with demonstrative pronouns.

16. Est-ce que la première se passe dans <u>ce cinéma-ci</u>?

_____

17. <u>Cette dame-là</u> vous trouvera des places.

_____

18. Les violonistes sont <u>les musiciens</u> qui sont à gauche du chef d'orchestre.

_____

19. Tu préfères <u>la musique</u> de Beethoven ou <u>la musique</u> de Gershwin?

_____

20. J'aimerais faire comme <u>ces gens</u> qui prennent des places pour toute la saison.

_____

SCORE   /10

TOTAL
SCORE   /35

Application 2

Écoutons

A For each statement you hear, write a logical conclusion using the correct form of **savoir** or **connaître.**

1. _____

2. _____

3. _____

4. _____

5. _____

SCORE   /10

Lisons

B Read this review below and decide if the following statements are **a) vrai** or **b) faux.**

En tant que critique d'art dans un petit village, j'ai souvent intérêt à être gentille. Mais souvent, les spectacles sont bons: soit ils ont une bonne chorégraphie, ou un joli décor, ou de bons chanteurs. Dans ces cas-là, j'écris ma gentille petite critique et je l'envoie bien tranquillement.

Mais ce soir, j'aurais vraiment mieux fait d'aller au cirque. Je dois dire que la comédie musicale qui passe actuellement au théâtre du Huchet, *Il est fou, ce monde!,* est… horrible. Tout simplement horrible. Il n'y a pas la plus petite chose qui soit bien. Les personnages, la musique, la chorégraphie et même les costumes: tout est horrible. Les chanteurs chantent faux – avec une musique enregistrée, sans même être en mesure. On dirait qu'ils lisent leur texte sur un écran. Les danseurs partent dans tous les sens, il y en a un qui est tombé trois fois, créant ainsi le seul moment amusant de la soirée. Un conseil? N'allez surtout pas voir cette pièce.

_____ 6. Cette fois-ci, la critique est assez méchante.

_____ 7. Elle a aimé certaines choses du spectacle.

_____ 8 L'orchestre joue très mal.

_____ 9. Elle plaint le danseur qui est tombé.

_____ 10. Elle aurait préféré aller au cirque.

SCORE   /10

QUIZ: APPLICATION 2   CHAPITRE **9**

Écrivons

C Three of your friends, Simon, Annabelle and Victoria, are staging a play at your school. They invite you to a rehearsal, and afterward, they want your opinions and suggestions. Write your conversation with them. Each friend must speak a line and the conversation must be a minimum of six lines long.

Simon: Alors, qu'est-ce que tu en penses?

_____

_____

_____

_____

_____

_____

_____

_____

_____

_____

_____

_____

_____

_____

_____

_____

SCORE	/15

TOTAL	
SCORE	/35

Lecture

A The artist Paul Gauguin kept a journal while in Tahiti and Hiva Oa. As you read, note down in French how the text makes you feel.

Il me fallut revenir en France. Des devoirs […] de famille me rappelaient. Adieu, […] terre délicieuse, patrie de liberté et de beauté! Je pars, vieilli de deux ans, rajeuni de vingt ans, plus barbare qu'à l'arrivée et bien plus instruit. Oui, les sauvages ont enseigné bien des choses au vieux civilisé, bien des choses de la science de vivre, ces ignorants, et de l'art d'être heureux. Surtout, ils m'ont fait me mieux connaître moi-même, ils m'ont dit ma propre vérité. […] Quand je quittai le quai, au moment de prendre la mer, je regardai pour la dernière fois Téhura. Elle avait pleuré plusieurs nuits durant. […] triste toujours, mais calme, elle se tenait assise sur la pierre, les jambes pendantes, […] ses pieds larges et solides [dans] l'eau salée. La fleur qu'elle portait, le matin, à son oreille, était tombée sur ses genoux […].

> Vous, légères brises du sud et de l'est,
> Qui vous joignez pour vous jouer et vous caresser au-dessus de ma tête,
> Hâtez-vous de courir ensemble à l'autre île.
> Vous y trouverez, assis à l'ombre de son arbre favori,
> Celui qui m'a abandonnée.
> Dites-lui que vous m'avez vue en pleurs.

SCORE _____ /10

B Decide whether the following statements are **a) vrai** or **b) faux**.

_____ 1. Gauguin quitte une femme aussi bien qu'une île.

_____ 2. Il est content de partir.

_____ 3. Il a vécu loin de la France pendant vingt ans.

_____ 4. En fait, il ne trouve pas le peuple «sauvage».

_____ 5. Il est sûr d'y retourner un jour.

SCORE _____ /10

C Est-ce que tu trouves le texte de Gauguin émouvant? Pourquoi ou pourquoi pas?

_____

_____

SCORE _____ /15

TOTAL
SCORE _____ /35

Écriture

A You've just come out of the theater with your best friend. You liked the play but your friend didn't. Write a conversation in which you trade opinions about the play you saw. Make sure each person speaks at least twice.

_____

_____

_____

_____

_____

_____

_____

_____

_____

_____

| SCORE | /20 |

B You're in Tahiti, writing a post card to your family. You want to give as strong an impression as you can in the small space you have to write in. Write about everything from the island itself to one of its most famous visitors.

_____

_____

_____

_____

_____

_____

_____

_____

| SCORE | /15 |

| TOTAL SCORE | /35 |

Examen

Écoutons

A Listen to the conversation and then decide whether the following statements are **a) vrai** or **b) faux**.

_____ 1. On dirait que Maëva et Enzo sont allés à un concert.

_____ 2 Maëva trouve que le chanteur est beau.

_____ 3. Enzo trouve qu'il n'a pas un style à lui.

_____ 4. Enzo a été impressionné.

_____ 5. Enzo recommande d'aller voir ce spectacle.

SCORE _____ /5

B Listen to this announcement and then choose the best answer below.

6. (L'artiste / Le critique) s'appelle Yaël Mooréa.

7. Il conseille au public d'aller voir (une exposition / un concert).

8. Les artistes ont tous (plus / moins) de trente ans.

9. Leurs œuvres sont toutes (naturelles / différentes).

10. Quand il parle de «natures mortes», c'est pour (être drôle / critiquer).

SCORE _____ /5

EXAMEN   CHAPITRE **9**

Lisons

C Decide whether the statements below are **a) vrai, b) faux** or **c) on ne sait pas**.

Tu sais peut-être que Gauguin habitait en France, qu'il y travaillait dans un bureau de change et qu'il a tout abandonné – métier, famille, pays – pour vivre à Tahiti et aux îles Marquises, jusqu'à la fin de ses jours. Mais savais-tu aussi que c'était le fils d'Espagnols et qu'il a passé ses premières années au Pérou? Ou que, jeune homme, il a navigué sur les mers du monde pendant six ans? Savais-tu qu'il s'est marié et qu'il est parti vivre quelque temps à Copenhague avec sa famille, avant de retourner tout seul en France pour consacrer sa vie à la peinture? Gauguin était un grand voyageur avant d'être un grand peintre.

_____11. Gauguin est né à Tahiti.

_____12. Il n'a pas ramené sa famille du Danemark.

_____13. Il a beaucoup voyagé dans sa jeunesse.

_____14. Très jeune, il ne parlait que l'espagnol.

_____15. Il s'est remarié avec une Tahitienne.

SCORE ____ /10

D Read this article and then complete the sentences correctly.

Sculpter est l'art d'assembler ou de donner une forme. Traditionnellement, les matériaux utilisés en sculpture sont la pierre, le métal ou le bois. La sculpture moderne et contemporaine utilise également le verre, le sable, la glace, comme par exemple au Canada, ainsi que n'importe quel objet de tous les jours. On commence même à voir des sculptures utilisant les gaz comme matériau, comme par exemple les sculptures au néon.

_____16. La sculpture traditionnelle n'utilise pas de...
    a. bois.   b. glace.   c. pierre.

_____17. Aujourd'hui, certains sculpteurs utilisent...
    a. des écrits.   b. des fours.   c. objets quotidiens.

_____18. En sculpture, les artistes utilisent des matériaux...
    a. variés.   b. faciles.   c. canadiens.

_____19. Sculpter c'est...
    a. un art.   b. une forme.   c. un matériau.

_____20. Il y a déjà des sculptures au néon, qui est...
    a. un gaz.   b. une pierre.   c. un verre.

SCORE ____ /5

EXAMEN   CHAPITRE **9**

Culture

E Fill in the blanks to complete each sentence.

21. Le musée du Louvre est un musée _____.

22. Il y a 34 musées nationaux dont _____ à Paris.

23. Tous les musées nationaux sont fermés le _____.

24. Les fêtes du _____ ont lieu chaque année à Tahiti.

25. Les «tikis» sont des _____.

| SCORE | /5 |

Vocabulaire

F Name the surface on which each art form is created or performed.

26. la pièce de théâtre: _____.

27. la peinture: _____.

28. la poterie: _____.

29. le cirque: _____.

30. l'exposition de tableaux: _____.

| SCORE | /5 |

G Fill in the blanks to logically complete each sentence.

31. _____ parenthèses, j'ai deux billets pour la première ce soir.

32. Je te _____ d'aller voir le vernissage.

33. Ne va _____ pas voir cette exposition, elle est nulle!

34. Ça me fait _____ à un paysage tropical.

35. Si tu mélanges la peinture à l'eau, tu fais une _____.

| SCORE | /10 |

Grammaire

H Using the information given, write complete sentences. Make any necessary changes.

36. violon / + / difficile / piano

_____

37. statue / = / vieux / autres

_____

38. jongleurs / - / drôle / clowns

_____

39. cirque / coûter / = / cher / théâtre

_____

40. natures mortes / - / intéressant / portraits

_____

SCORE _____ /10

I Underline the correct comparative or superlative.

41. Non, pas de télé, s'il te plaît; c'est le (moins / pire) des médias.

42. Mon père écoute la radio (plus qu' / plus d') il nous écoute.

43. Ce morceau, c'est (plus / le plus) triste de tout l'opéra.

44. Ce sont (les meilleurs / les mieux) tableaux de toute l'exposition.

45. Ce chanteur chante (mieux / meilleur) que quand il était jeune.

SCORE _____ /5

J Choose an adjective based on the underlined word in each sentence.

46. Ces trapézistes sont _____; ils ne t'<u>impressionnent</u> pas, toi?

47. Cette boisson est _____; je me suis <u>brûlé</u> la langue.

48. C'est un peu _____, cette musique; elle ne t'<u>énerve</u> pas?

49. Elle m'a <u>vexé</u>, cette ouvreuse; ne l'as-tu pas trouvée _____?

50. Il faut <u>payer</u> si tu veux laisser la voiture ici. Tu vois, il y a un panneau «Parking _____».

SCORE _____ /5

EXAMEN   **CHAPITRE 9**

K Fill in the blanks with the correct demonstrative pronouns.

51. Ce peintre, n'est-ce pas _____ qui t'a donné un croquis?

52. J'aurais préféré voir d'autres tableaux que _____ qu'on a vus.

53. À ta place, j'utiliserais cette toile-ci au lieu de _____.

54. Ces jongleurs-ci sont meilleurs que _____.

55. Dans une semaine, on aura oublié ces choses-là, mais pas _____!

SCORE	/5

L Rewrite these questions using inversion.

56. Comment est-ce que tu trouves les tableaux de Gauguin?

   _____

57. Elle n'est pas d'accord avec toi, ta copine?

   _____

58. Est-ce que cette exposition lui a plu, au moins?

   _____

59. N'est-ce pas qu'il était génial?

   _____

60. Vous voudriez aller en discuter un peu plus au café?

   _____

SCORE	/10

EXAMEN   CHAPITRE **9**

Écrivons

M You are visiting a cousin in the Caribbean. It's summer, and you and your cousin are taking it easy, visiting with the family and going to a dance show or a concert. Write a journal entry of one day as you imagine it there. Use demonstrative pronouns and comparatives and superlatives.

_____

_____

_____

_____

_____

_____

_____

_____

_____

| SCORE | /10 |

N You've been to the circus! Write a review of the show, give your opinion and make recommendations.

_____

_____

_____

_____

_____

_____

_____

_____

_____

| SCORE | /10 |

| TOTAL SCORE | /100 |

Answer Key

Vocabulaire 1

A (5 points: 1 point per item)
1. c
2. a
3. e
4. d
5. b

B (10 points: 2 points per item)
6. e
7. d
8. a
9. b
10. c

C (5 points: 1 point per item)
11. sculpteur
12. peinture
13. atelier
14. tube
15. gravure

D (10 points: 2 points per item)
16. bouger
17. Au fait
18. atelier
19. Pendant que j'y pense
20. chevalet

Grammaire 1

A (5 points: 1 point per item)
1. relaxent
2. surprend
3. impressionnée
4. amuse
5. fatiguée

B (10 points: 2 points per item)
6. Pose-t-il comme modèle?
7. N'allez-vous pas au vernissage?
8. L'exposition t'a-t-elle plu?
9. Liliane et Serge font-ils de la poterie?
10. À quelle heure t'es-tu arrêté à la galerie hier?

C (10 points: 2 points per item)
11. Quel tableau avez-vous préféré?
12. As-tu déjà visité l'atelier d'un artiste?
13. Vend-on des palettes ici?
14. Combien de fois par semaine peux-tu me prêter ton atelier?
15. Est-ce plus difficile de faire de la peinture à l'huile ou des aquarelles?

D (10 points) Answers will vary. Possible answers:
16. Oui, je les trouve ennuyantes aussi.
17. Oui, ils sont beaucoup plus intéressants.
18. Oui, elles sont changeantes!
19. Oui, ils sont reposants.
20. Oui, ils sont énervants.

Application 1

A (10 points: 2 points per item)
1. a
2. b
3. b
4. a
5. b

B (10 points: 2 points per item)
6. a
7. b
8. b
9. a
10. b

C (15 points) Answers will vary. Possible answer:

Le visiteur	Cet artiste n'a peint que des natures mortes. Il n'est vraiment pas très intéresssant!
Moi	Mais pas du tout! Il a aussi peint des paysages et même des portraits.
Le visiteur	Il ne les a jamais exposés alors.
Moi	Si! Il y a un de ses portraits exposé dans la salle d'à côté. Etc.

Answer Key

Vocabulaire 2

A (5 points: 1 point per item)
1. une ballerine
2. un clown
3. des trapézistes
4. un orchestre
5. une jongleuse

B (5 points: 1 point per item)
6. ouvreuse
7. Le décor
8. tutu
9. le chapiteau
10. partition

C (10 points: 2 points per item)
11. d   14. e
12. a   15. c
13. b

D (10 points: 2 points per item) Answers will vary. Possible answers:
16. On dirait qu'il travaille plus que tous les musiciens.
17. J'ai l'impression d'être dans les jardins de Giverny.
18. Je ne sais pas; il me semble que les danseurs ne suivent pas la musique.
19. Ils ont l'air d'être méchants.
20. Oui, ça me fait penser aux vacances.

Grammaire 2

A (5 points: 1 point per item)
1. plus   4. autant
2. moins   5. meilleurs
3. aussi

B (10 points: 2 points per item)
6. Lydie chante aussi bien que Jeannette.
7. Tes BD sont moins drôles que les miennes.
8. Cette ballerine est plus jolie que les autres.
9. J'aime la musique moderne plus que la musique pop.
10. Les spectateurs applaudissent autant les trapézistes que les clowns.

C (10 points: 2 points per item) Answers will vary. Possible answers:
11. C'est le meilleur opéra de Verdi.
12. Nous pensons que c'est la plus mauvaise musicienne de l'orchestre.
13. Bien sûr, c'est l'acteur français le plus connu au monde.
14. Ils ont dit que c'étaient mes meilleures œuvres.
15. Ce que les enfants ont le plus aimé au cirque, c'étaient les clowns.

D (10 points: 2 points per item) Answers will vary. Possible answers:
16. Est-ce que la première se passe dans celui-ci?
17. Celle-là vous trouvera des places.
18. Les violonistes sont ceux qui sont à gauche du chef d'orchestre.
19. Tu préfères celle de Beethoven ou celle de Gershwin?
20. J'aimerais faire comme ceux qui prennent des places pour toute la saison.

Application 2

A (10 points: 2 points per item)
1. Il connaît le chef d'orchestre.
2. Elle ne sait pas jouer du piano.
3. Elle connaît le clown.
4. Il ne connaît pas sa partition.
5. Il connaît cet opéra de Mozart.

B (10 points: 2 points per item)
6. a
7. b
8. b
9. b
10. a

C (15 points) Answers will vary. Possible answer:

Moi C'est génial! On dirait que vous vous amusez sur scène! Ça me fait penser à une pièce de Mel Brooks. Etc.

GÉOCULTURE / LECTURE / ÉCRITURE QUIZZES

Géoculture

A (5 points: 1 point per item)
1. la Polynésie française
2. les Antilles françaises
3. Saint-Pierre-et-Miquelon
4. la Guyane française
5. l'île de la Réunion

B (5 points: 1 point per item)
6. d
7. f
8. a
9. c
10. b

C (10 points: 2 points per item)
11. des Marquises
12. Guyane
13. plus
14. la montagne Pélée
15. fusées Ariane

D (10 points: 2 points per item)
16. pays d'outre-mer/POM
17. Saint-Pierre-et-Miquelon
18. bagne
19. Tahiti
20. l'esclavage

Lecture

A (10 points) Answer will vary. Possible answer:

Ça me fait rêver au voyage et à la vie tropicale. De plus, c'est triste, parce qu'il part.

B (10 points: 2 points per item)
1. a
2. b
3. b
4. a
5. b

C (15 points) Answers will vary. Possible answer:

Oui, tout à fait. J'ai trouvé ce texte émouvant, surtout les vers à la fin, parce qu'on voit qu'il aime les gens et la culture de ces îles. Etc.

Écriture

A (20 points) Answers will vary. Possible answer:

Ton ami Alors, quel est ton avis sur cette pièce?

Toi Ce n'était pas mon style, mais les acteurs étaient bons.

Ton ami Ah bon? C'est surprenant que tu dises ça. Moi, je l'ai trouvé passionnante!

Toi En quoi?

Ton ami Le texte, d'abord! Et j'ai trouvé que le décor était génial. Etc.

B (15 points) Answers will vary. Possible answer:

Je vous écris du haut d'un volcan. Eh oui! C'est impressionnant, le paysage de Hiva Oa, dans les îles Marquises. Vous savez bien que c'est ici que peignait Gauguin, un de mes héros. J'ai fait plein de croquis ces derniers jours, c'est vraiment le paradis. Je ne vois que des montagnes vertes, des plages ensoleillées et la mer. Il pleut une fois par jour environ, mais ça ne dure pas. Les gens sont très gentils. J'ai fait la connaissance de quelques enfants qui habitent près de mon hôtel. Je leur ai demandé de poser pour moi, ils n'ont pas l'air d'avoir autre chose à faire!… Bien sûr, je les ai payés pour leur patience. Je ne veux pas quitter cette île, mais mon avion part après-demain. C'est déprimant. Je vous embrasse… Christian

Answer Key

Écoutons

A (5 points: 1 point per item)
1. a
2. a
3. a
4. b
5. b

B (5 points: 1 point per item)
6. Le critique
7. une exposition
8. moins
9. différentes
10. être drôle

Lisons

C (10 points: 2 points per item)
11. b
12. a
13. a
14. c
15. c

D (5 points: 1 point per item)
16. b
17. c
18. a
19. a
20. a

Culture

E (5 points: 1 point per item)
21. national
22. quinze
23. mardi
24. Heiva
25. sculptures

Vocabulaire

F (5 points: 1 point per item)
26. la scène
27. la toile
28. le tour
29. la piste
30. la galerie d'art

G (10 points: 2 points per item)
31. Entre
32. recommande
33. surtout
34. penser
35. aquarelle

Grammaire

H (10 points: 2 points per item)
36. Le violon est plus difficile que le piano.
37. Cette statue est aussi vieille que les autres.
38. Les jongleurs sont moins drôles que les clowns.
39. Le cirque coûte aussi cher que le théâtre.
40. Les natures mortes sont moins intéressantes que les portraits.

I (5 points: 1 point per item)
41. pire
42. plus qu'
43. le plus
44. les meilleurs
45. mieux

J (5 points: 1 point per item)
46. impressionnants
47. brûlante
48. énervant
49. vexante
50. payant

K (5 points: 1 point per item)
51. celui
52. ceux
53. celle-là
54. ceux-là
55. celles-ci

L (10 points: 2 points per item)

56. Comment trouves-tu les tableaux de Gauguin?

57. N'est-elle pas d'accord avec toi, ta copine?

58. Cette exposition lui a-t-elle plu, au moins?

59. N'était-il pas génial?

60. Voudriez-vous aller en discuter un peu plus au café?

Écrivons

M (10 points) Answers will vary. Possible answer:

Ici, à la Guadeloupe, la musique est partout. L'autre soir on est allé à un concert de zouk. C'était les meilleurs musiciens de l'île qui jouaient. Ceux qui étaient les plus impressionnants c'étaient les joueurs de tambours. Etc.

N (10 points) Answers will vary. Possible answer:
Je vous conseille d'aller voir le cirque Pandrano! Les trapézistes étaient excellents. Ils me faisaient penser à des oiseaux! Les clowns étaient très drôles et tous les spectateurs les ont trouvés très amusants. Etc.

Scripts: Quizzes

Application 1

A 1. À mon avis, cette exposition est à ne pas manquer. Au fait, vous n'avez plus que quinze jours, alors dépêchez-vous!

2. Je me suis tellement ennuyé dans ce musée que j'ai tout de suite cherché la cantine.

3. Les autoportraits de ce peintre sont parmi les pires que j'aie vus de toute ma carrière. Il aurait mieux fait de prendre un modèle.

4. J'ai eu de la chance d'être invité au vernissage d'une artiste récemment découverte. Elle peint comme si elle n'avait fait que ça toute sa vie. Ce qui est surprenant, c'est qu'elle ne faisait que de la photo jusqu'à l'année dernière. Impressionnant!

5. Ce n'est même pas la peine de prendre des billets. Gardez votre argent pour vous acheter une toile et une palette – vous ferez sans doute mieux que lui.

Application 2

A 1. Le chef d'orchestre? C'est mon beau-frère. Oui, je vais souvent à ses concerts.

2. Moi, du piano? Euh, je n'en ai jamais joué, non!

3. Ce clown-là, c'est mon oncle Thierry. Il est drôle, n'est-ce pas?

4. Je ne suis même pas arrivé au bout de la partition! Je ne m'en souvenais plus.

5. Ah! Ce morceau-là, si je me souviens bien… oui, oui, ça vient de l'opéra de Mozart, *Les noces de Figaro*, troisième acte.

Examen

A   **Maëva**   Alors, Enzo! Qu'est-ce que tu penses de ce chanteur?

       Enzo   Il n'est pas mal, mais…

    Maëva   Pas mal? Il est génial!

       Enzo   Écoute, Maëva, il chante un peu faux en concert.

    Maëva   Ah, oui, je vois. Tu ne l'aimes pas parce qu'il est beau.

       Enzo   Non, ça n'a rien à voir.

    Maëva   Tu es devenu critique de musique?

       Enzo   Je sais quand on chante faux, au moins! Il n'a pas un style à lui. Il me fait penser au groupe Ramatuelle. C'est le même genre de musique. Pas très impressionnant!

    Maëva   Bref, tu n'as pas aimé!

       Enzo   Disons que je ne recommande pas d'aller le voir sur scène.

B Messieurs-dames, bonsoir. Voici «Minute pour les arts». Alors, ce soir je vous conseille d'aller à la Galerie Insolite, 37, rue de la Paix. Cette exposition s'appelle tout simplement «Avec vue». Il y a les œuvres d'une quinzaine de jeunes artistes qui n'ont pas plus de 30 ans. Vous y verrez tous les styles: des aquarelles, des gravures, des peintures abstraites, des paysages, des portraits. Surtout pas de «natures mortes»!…, on y voit plutôt une énergie passionnante. Ce n'est pas un travail de groupe; chaque artiste est très différent. C'était «Minute pour les arts». Je suis Yaël Mooréa, votre guide et critique pour les événements de l'île et je vous souhaite une bonne soirée à tous et à toutes.

Vocabulaire 1

A Underline the item in each group that does not belong.

1. passeport / carte d'embarquement / porte / portefeuille

2. piste / hall d'arrivée / porte / escale

3. débarquer / décalage horaire / décoller / atterrir

4. douane / siège / hublot / allée

5. hôtesse de l'air / commandant de bord / vol direct / passager

SCORE	/5

B Match each question with an appropriate answer.

_____ 6. Vous les avez prévenu qu'il vous fallait un accès handicapé?

_____ 7. As-tu bien confirmé ton vol?

_____ 8. Est-ce que tu as pris ton passeport?

_____ 9. Est-ce qu'il reste des places près de l'allée?

_____ 10. On a droit à combien de bagages?

> a. Vous avez de la chance. Il y en a encore une.
> b. Oui, je l'ai toujours sur moi.
> c. Rassurez-vous, je le leur ai dit.
> d. Deux maximum.
> e. Pas encore! Je le fais tout de suite.

SCORE	/5

C Fill in the blanks logically.

11. Fais attention, l'hôtesse donne les _____.

12. _____ nous a enfin donné l'autorisation d'atterrir.

13. Pour aller de Paris à Nice il faut prendre un vol _____!

14. On ne peut pas prendre plus de deux bagages en _____.

15. Voilà l'_____ de notre vol qui arrive, tous en uniforme!

SCORE   /10

D Read these answers and then supply the questions.

16. _____

Oui, vous avez de la chance. L'avion n'a pas encore quitté la porte.

17. _____

Non, j'ai pris un vol direct.

18. _____

Non, ils nous ont fait ouvrir tous nos bagages !

19. _____

Non, on n'a servi que des cacahuètes et du coca.

20. _____

Voyons… il est sept heures plus tard là-bas.

SCORE   /10

TOTAL
SCORE   /30

Grammaire 1

A There are people from all over the world in your French class. Write sentences using the cues below to tell where they come from.

1. nous / venir / Pays-Bas

   _____

2. ils / être / né / Espagne

   _____

3. vous / grandir / Mali

   _____

4. je / venir / Mexique

   _____

5. tu / venir / États-Unis

   _____

SCORE /5

B Fill in the blanks with the appropriate preposition.

Je suis née (6)_____ Canada, où j'ai appris le français tout petit. Ma famille est venue vivre (7)_____ France quand j'avais huit ans. C'était difficile, mais je me suis fait une amie qui venait (8)_____ États-Unis. Sa famille déménageait souvent et elle avait déjà habité (9)_____ Espagne, (10)_____ Maroc et (11)_____ Égypte. Malheureusement, elle est partie (12)_____ Suisse l'année dernière. J'aime la France, moi, mais ma grand-mère ne parle toujours que (13)_____ Québec. Je veux devenir interprète et j'espère pouvoir faire des études (14)_____ Russie et (15)_____ Chine.

SCORE /10

C Rewrite these questions, replacing the underlined verb with the verb in parentheses.

16. Tu <u>penses</u> qu'il ne viendra pas te chercher? (craindre)

_____

17. Je <u>vois</u> que tu as déjà fait tes bagages. (douter)

_____

18. J'<u>espère</u> que nous pourrons nous asseoir. (ne pas croire)

_____

19. Il est <u>certain</u> qu'on trouvera une place près du hublot. (possible)

_____

20. Je suis <u>sûr</u> que vous devrez repartir tout de suite. (triste)

_____

SCORE	/10

D Your mother's in a terrific hurry to get to the airport. Write a to-do list to tell what she has to do. Use **Il faut que tu...** to form complete sentences.

21. —appeler un taxi

_____

22. —mettre son passeport dans sa veste

_____

23. —emporter un livre

_____

24. —ne pas fermer ses bagages à clé

_____

25. —s'arrêter au distributeur d'argent

_____

SCORE	/10

TOTAL SCORE	/35

Application 1

Écoutons

A You're waiting at Orly Airport in Paris. Listen to each of the following announcements and then decide whether the following statements are **a) vrai** or **b) faux.**

_____ 1. Le vol d'Air Alexandrie est un vol intérieur.

_____ 2. L'avion à destination de Rome doit partir bientôt.

_____ 3. Les passagers en provenance de Singapour sont arrivés.

_____ 4. On peut laisser ses bagages dans la salle d'embarquement si on veut faire un tour dans les boutiques de l'aéroport.

_____ 5. Si tu viens de débarquer d'un vol intérieur, tu ne dois pas passer la douane.

SCORE ____ /10

Lisons

B You're flying back from the Antilles with a girlfriend. You've just noticed the fine print on the back of your tickets. Read it and then answer her questions.

NOTICE. À l'arrivée, tout passager en provenance d'un pays étranger doit passer la douane avec son passeport, son billet et sa déclaration d'achats (document à remplir *(fill out)* que votre hôtesse vous donnera avant le débarquement). Un supplément de 10% sera à payer sur tout achat de plus de 400 euros. Le paiement est accepté en liquide ou par carte de crédit. Les chèques ne sont pas acceptés.

6. Qui est-ce qui doit avoir ce document?

_____

7. Comment est-ce qu'on reçoit ce document?

_____

8. Qu'est-ce qu'on peut faire si on n'a pas de liquide?

_____

9. Qu'est-ce qu'il faut montrer d'autre à la douane?

_____

10. Combien on doit payer si on a acheté quelque chose de cinq cents euros?

_____

SCORE ____ /10

Écrivons

C You are accompanying a French child on a flight to America. Imagine what you would say to explain to him/her what usually happens or when some particular feature of the flight occurs, etc. Use at least five adverbs in your paragraph.

_____

_____

_____

_____

_____

_____

_____

_____

_____

_____

_____

_____

_____

_____

SCORE	/15

| TOTAL | |
| SCORE | /35 |

Vocabulaire 2

A Label the following images.

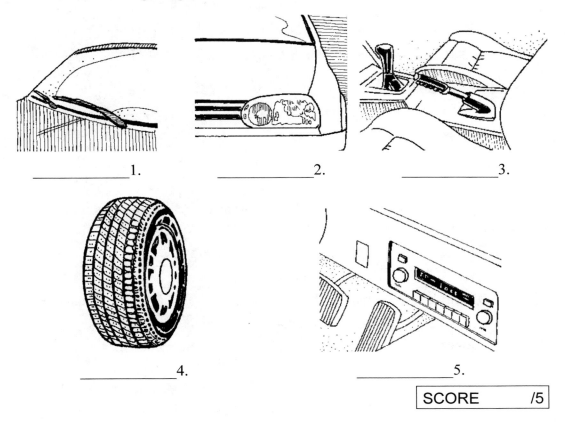

_____ 1.   _____ 2.   _____ 3.

_____ 4.   _____ 5.

SCORE   /5

B Underline the best word to complete each sentence.

6. Tu es fatigué, papa. Passe-moi le (volant / rétroviseur).

7. Tu ne peux pas conduire si tu n'as pas de (plaque / panne) d'immatriculation.

8. Il faut faire le (plein / capot), on s'arrête à cette station-service.

9. Oh là là, tu as oublié de mettre les bagages dans le (coffre / réservoir)!

10. Ce type ne te voit pas! (Klaxonne! / Bonne route!)

SCORE   /5

C Match each sentence on the left with its logical ending on the right.

_____ 11. Comment peut-on rejoindre…

_____ 12. Est-ce qu'il existe un chemin…

_____ 13. Quelle sortie faut-il prendre pour…

_____ 14. J'espère qu'on ne va pas…

_____ 15. Tu ferais mieux de…

| a. faire le plein. |
| b. l'autoroute? |
| c. tomber en panne. |
| d. plus rapide que celui-ci? |
| e. Cannes? |
| f. ouvre le capot. |

SCORE _____ /10

D Rémy and his friend are in a rental car. Complete their conversation logically using the vocabulary from this chapter.

Rémy Tu es sûr qu'il y a une roue de (16)_____?
J'ai l'impression que les pneus ont un drôle d'air!

Quentin Il faudrait peut-être (17)_____ des pneus.

Rémy En plus, je ne vois pas bien la route!

Quentin Ça ne m'étonne pas! Tu devrais commencer par
(18)_____.

Rémy Ah! C'est une voiture à changement de vitesse manuelle!
Comment est-ce que je change de vitesse?

Quentin (19)_____.

Rémy Ah! C'est déjà la nuit. Je ne vois plus rien!

Quentin (20)_____.

SCORE _____ /10

TOTAL
SCORE _____ /30

Grammaire 2

A Provide the correct future form of each verb in parentheses.

1. Je _____ bientôt faire le plein. (devoir)

2. Ne t'inquiète pas, on _____ avant le déjeuner. (arriver)

3. J'espère que vous _____ venir nous chercher. (pouvoir)

4. Dis-moi quand tu _____ là. (être)

5. Je ne sais pas s'ils _____ où nous trouver dans cette foule. (savoir)

> SCORE _____ /5

B Create sentences in the future, using the information provided. Make any necessary changes or additions.

6. nous / s'arrêter / bientôt

   _____

7. je / venir / demain matin / te / aider

   _____

8. vous / voir / sortie / après / aéroport

   _____

9. on / ne pas / réparer / pare-brise / avant / samedi

   _____

10. elles / apprendre / beaucoup / en voyageant

    _____

> SCORE _____ /10

QUIZ: GRAMMAIRE 2   CHAPITRE **10**

C In each sentence, underline the correct verb.

   11. Est-ce que tu (es / étais) déjà parti quand Raoul est arrivé?

   12. J'(ai / avais) fini de laver la voiture quand il a commencé à pleuvoir.

   13. S'il m'(aura / avait) dit qu'il était en panne, j'aurais été le chercher.

   14. S'ils (avaient / auraient) écouté, ils ne seraient pas perdus.

   15. Heureusement, ils (étaient / ont) arrivés à la station-service quand ils sont tombés en panne.

SCORE	/10

D Rewrite these sentences beginning with «**J'ai entendu dire que…**». Use the **plus-que-parfait** to complete the sentences.

   16. Tu as perdu ton permis de conduire.

   _____

   17. Vous vous êtes déjà rencontrés.

   _____

   18. Elle est partie toute seule à Terre-Neuve.

   _____

   19. Ils sont tombés en panne sur la route.

   _____

   20. Les billets ont coûté assez cher.

   _____

SCORE	/10

TOTAL SCORE	/35

Application 2

Écoutons

A Listen to the conversation and then decide whether the following statements are **a) vrai** or **b) faux.**

_____ 1. On sait pourquoi le moteur ne veut pas démarrer.

_____ 2. Le jeune homme veut essayer de le réparer.

_____ 3. La jeune femme a une autre idée.

_____ 4. Gérard est un bon voisin.

_____ 5. Ils vont rater le mariage après tout.

SCORE _____ /10

Lisons

B Sandrine has stopped at a gas station to ask for directions. Read the conversation and then underline the right answers below.

Sandrine Bonjour, monsieur. Savez-vous où est l'entrée de l'autoroute pour Narbonne? Je n'arrive pas à la trouver sur mon plan.

M. Nico Bien sûr. Faites voir votre plan. Oui. Vous voyez cette petite route là, qui va vers l'est? Eh bien, c'est juste à côté.

Sandrine Oui, je vois.

M. Nico Vous la suivez pendant cinq kilomètres et vous allez rejoindre l'autoroute.

Sandrine Ah! Je vois, oui. Merci beaucoup, monsieur. Pendant que j'y pense, je dois faire le plein.

M. Nico Très bien, mademoiselle. Je vous fais le plein tout de suite.

Sandrine Est-ce que je peux aussi régler la pression des pneus?

M. Nico Oui, la pompe à air est là-bas.

Sandrine Merci encore.

M. Nico Je vous en prie, mademoiselle. Bonne route!

6. Sandrine (s'arrête / se fait arrêter) à la station-service.

7. Sandrine (demande / fait demander) le chemin.

8. Sandrine (se fait montrer / montre) l'entrée de l'autoroute sur son plan.

9. Puis elle (fait faire le plein / fait le plein).

10. Elle (règle la pression des pneus / fait régler la pression des pneus) avant de reprendre la route.

SCORE _____ /10

QUIZ: APPLICATION 2

Écrivons

C You are lost, on your way to visit an old friend in his new house. You've never been to this state, let alone this area. Call your friend and ask for directions. Use as many driving terms as you can and use the causative **faire** at least once. Write your conversation below.

_____

_____

_____

_____

_____

_____

_____

_____

_____

_____

_____

_____

_____

_____

_____

_____

_____

SCORE	/15

TOTAL SCORE	/35

Lecture

A Read the text below, and then write another piece of advice that you think would be helpful to other drivers.

Bonne route à tous! C'est le grand jour du départ en vacances. Voici tous nos conseils pour partir tranquille et faire bonne route.

Avant le départ Faites faire la révision de votre voiture: freins, pneus, phares doivent être en bon état et bien réglés. Partez reposés. La veille du départ: un repas léger et une bonne nuit de sommeil pour être en pleine forme au réveil. Le jour du départ, si vous partez le matin: un bon petit-déjeuner. Si vous partez l'après-midi ou le soir: ne mangez pas trop. Évitez les aliments gras et le sucre, qui peuvent vous donner sommeil. Préparez correctement votre véhicule. Réglez bien le siège du conducteur. Nettoyez le pare-brise et les rétroviseurs.

En route Mettez votre ceinture. De même pour les enfants à l'arrière: ils doivent rester dans les sièges-auto adaptés à leur âge et à leur taille. Pensez à les faire boire souvent quand il fait chaud. Attention si vous partez la nuit: c'est entre 2 et 4 heures du matin qu'on a le plus sommeil. Enfin, même la nuit, n'oubliez pas que vous n'êtes pas seuls sur la route.

_____

_____

SCORE   /15

B Decide whether the following statements are **a) vrai** or **b) faux.**

_____ 1. Il est conseillé de faire faire la révision de sa voiture avant de partir.

_____ 2. Il est dangereux de conduire quand on a sommeil.

_____ 3. Il n'y a pas de précautions à prendre quand on voyage avec des enfants.

_____ 4. Il vaut mieux se mettre en route la nuit, quand il y a moins de monde.

_____ 5. Il vaut mieux ne rien manger avant de partir.

SCORE   /15

C Est-ce que tu aimes voyager en voiture? Pourquoi ou pourquoi pas?

_____

_____

SCORE   /20

TOTAL
SCORE   /50

Écriture

A You just got the car you always wanted. Describe it in French and tell at least five things you will do to take care of it.

_____

_____

_____

_____

_____

_____

_____

_____

SCORE	/25

B You have just won an all expenses paid vacation. Write a short paragraph in French telling where you will go, what you imagine it will be like, and what you dream of doing there. Pay special attention to details that create a particular mood.

_____

_____

_____

_____

_____

_____

_____

_____

_____

_____

_____

SCORE	/25

TOTAL SCORE	/50

Bon voyage!

Écoutons

A Listen to the flight attendant's announcement and then give short answers.

    1. Où cet avion va-t-il? _____

    2. Qu'est-ce que l'avion attend? _____

    3. Les passagers auront-ils à boire ou à manger? _____

    4. Combien de personnes y a-t-il dans l'équipage? _____

    5. Qu'est-ce que l'hôtesse va faire? _____

SCORE   /5

B Listen to the conversation and answer the following questions in complete sentences in French.

    6. Où est-ce qu'Alain veut aller? Pourquoi?

    _____

    7. Quelle sortie doit-il prendre?

    _____

    8. Est-ce qu'Alain doit se dépêcher? Pourquoi?

    _____

    9. Comment est le changement de vitesse?

    _____

    10. D'où viennent les copains d'Alain?

    _____

SCORE   /10

EXAMEN

Lisons

C Read this part of a phone conversation and decide whether the statements below are **a) vrai** or **b) faux.**

Salut, chérie. Oui, oui, ça va…. Je suis au sud de Paris, à 75 km environ. Oui. Sur la 77. Oui, j'ai pris la mauvaise sortie…. Ce n'est pas grave, enfin ce ne serait pas grave, sauf que j'ai un pneu à plat.. … Si, j'ai une roue de secours, mais je n'ai plus les outils qu'il faut pour la mettre…. Non, je les ai prêtés à ton frère… Non, je n'ai vu aucune station-service sur la route. Voilà pourquoi je t'ai appelée. Pourrais-tu me trouver une station-service en ligne? Rappelle-moi quand tu en auras trouvé une. Merci, chérie, à bientôt. …. Allô? Oui? D'accord, j'écoute… Oui…. oui… de l'autre côté de l'autoroute? Mais je ne vois aucun panneau…ah, à cinq kilomètres? Ce n'est pas trop loin. Je pense que j'y arriverai. D'accord, j'y vais, je te rappellerai quand j'aurai fini.

_____ 11. Celui qui téléphone a pris la mauvaise sortie.

_____ 12. Il est en panne d'essence.

_____ 13. Il a donné sa roue de secours à son beau-frère.

_____ 14. Sa femme a trouvé une station-service pour lui.

_____ 15. Il ne pourra pas y arriver à cause de son pneu à plat.

SCORE _____ /5

D Read this text and then write a sentence or two about what you think will happen.

Le passager	Excusez-moi, je vois que mon vol est en retard. Quand est-ce qu'il va décoller?
L'hôtesse	Pas avant 17 h 00, monsieur.
Le passager	Mais je vais rater l'avion que je dois prendre à Londres! Écoutez, je suis médecin et il est très important que je sois à Londres à temps pour prendre un avion pour le Mali.
L'hôtesse	Ah. Je vais voir ce que je peux faire…. Vous avez de la chance! Il reste une place sur le vol 665 à destination de Londres. Il n'atterrit pas au même aéroport, mais si vous prenez un taxi, vous arriverez à l'autre aéroport en moins d'une demi-heure.
Le passager	Je n'ai pas le choix. Merci, mademoiselle.

_____

_____

SCORE _____ /5

EXAMEN

CHAPITRE **10**

Culture

E Decide whether the following statements are **a) vrai** or **b) faux.**

_____16. Les autoroutes françaises sont gratuites.

_____17. Pour les péages à forfait, le prix dépend de la distance parcourue.

_____18. Il est facile d'avoir son permis en France.

_____19. Il y a plusieurs façons d'avoir son permis en France.

_____20. En France, le permis de conduire est un permis à points.

SCORE ____ /5

Vocabulaire

F Underline the correct term.

21. Les stewards, les hôtesses de l'air et le commandant de bord, c'est l'(équipage / escale).

22. Quand on arrive dans un pays étranger, il y a souvent un (décollage / décalage) horaire.

23. Après les vols internationaux, il faut (passer / passager) la douane.

24. Quand l'avion atterrit, les passagers (annulent / débarquent).

25. Les atterrissages et les décollages sont réglés par la tour de (contrôle / consignes).

SCORE ____ /5

G Fill in the blanks.

26. Ouvre le _____, s'il te plaît, que j'y mette mes bagages.

27. Tu n'as pas _____ la pression des pneus?

28. Dans cette voiture, il faut mettre de l'_____, pas du gasoil!

29. Heureusement que l'autre conducteur m'a entendu _____!

30. Saviez-vous que vous avez un _____ qui ne s'allume pas? Ça ne m'étonne pas que vous ne voyiez pas bien la nuit!

SCORE ____ /5

H Match each question to an appropriate answer.

_____31. Je ne sais pas comment changer de
         vitesse.

_____32. Il pleut! Je n'y vois rien.

_____33. Je n'arrive pas à me garer.

_____34. Tu peux m'aider à changer ce pneu?

_____35. Le moteur ne veut pas démarrer.

> a. Bien sûr, voici la
>   roue de secours.
> b. Ouvre le capot, je
>   vais regarder.
> c. Mets les essuie-
>   glaces en marche!
> d. Fais le plein.
> e. Appuie sur la pédale
>   d'embrayage.
> f. Passe-moi le volant.

SCORE _____ /5

Grammaire

I Fill in the blanks with the right prepositions.

36. L'avion décolle _____ Paris.

37. Ensuite, on s'arrête _____ Barcelone pendant une heure environ.

38. Après cette escale, on prend l'avion pour aller _____ États-Unis.

39. On atterrit _____ Floride.

40. Le bateau pour les Antilles va partir _____ Miami.

SCORE _____ /5

J Provide the correct form of each verb in parentheses.

41. Es-tu certaine que les avions _____ toujours à l'heure? (arriver)

42. Je suis désolé que tu _____ dû attendre. (avoir)

43. Il se peut que nous ne _____ pas passer la douane cette fois. (devoir)

44. Mon père a pris ce vol bien qu'il _____ plus longtemps. (durer)

45. Le pilote était content que le temps _____. (s'améliorer)

SCORE _____ /10

K Choose the correct form of each verb.

46. Alors, qu'est-ce que vous en (pensez / penserez)?

47. Ils n'aiment pas les autoroutes. Ils (prennent / prendront) toujours les petites routes.

48. On (ferait / fera) le plein avant de partir.

49. Je lui dirai ce qui est arrivé dès que je le (verrai / vois).

50. Vous m'(envoyez / enverrez) ce billet la semaine prochaine?

SCORE	/10

L Rewrite these sentences in the past perfect (plus-que-parfait).

51. J'ai déjà utilisé la roue de secours.

   _____

52. Il a fait le plein avant de partir.

   _____

53. Tu m'as passé le volant avant d'arriver à Fort-de-France.

   _____

54. Vous êtes tombés en panne à ce moment-là.

   _____

55. Nous nous sommes perdus dans la foule à l'aéroport.

   _____

SCORE	/10

EXAMEN

CHAPITRE **10**

Écrivons

M You've just found out that your flight out of Paris is delayed and won't be leaving the gate for another hour. Write down your conversation with a stewardess.

_____

_____

_____

_____

_____

_____

_____

_____

_____

SCORE	/10

N Your car has broken down and you are at the garage. Tell the mechanic the situation and what you think happened. Then ask him for help.

_____

_____

_____

_____

_____

_____

_____

_____

_____

SCORE	/10

TOTAL SCORE	/100

Answer Key

Vocabulaire 1

A (5 points: 1 point per item)
1. portefeuille
2. escale
3. décalage horaire
4. douane
5. vol direct

B (5 points: 1 point per item)
6. c
7. e
8. b
9. a
10. d

C (10 points: 2 points per item)
11. consignes de sécurité
12. La tour de contrôle
13. intérieur
14. cabine
15. équipage

D (10 points: 2 points per item)
Answers will vary. Possible answers:
16. Est-ce qu'on peut encore embarquer?
17. Est-ce que tu as dû faire escale?
18. Vous avez passé la douane facilement?
19. As-tu bien mangé à bord de l'avion?
20. Il y a combien d'heures de décalage horaire?

Grammaire 1

A (5 points: 1 point per item)
1. Nous venons des Pays-Bas.
2. Ils sont nés en Espagne.
3. Vous avez grandi au Mali.
4. Je viens du Mexique.
5. Tu viens des États-Unis.

B (10 points: 1 point per item)
6. au
7. en
8. des
9. en
10. au
11. en
12. en
13. du/de
14. en
15. en

C (10 points: 2 points per item)
16. Tu crains qu'il ne vienne pas te chercher?
17. Je doute que tu aies déjà fait tes bagages.
18. Je ne crois pas que nous puissions nous asseoir.
19. Il est possible qu'on trouve une place.
20. Je suis triste que vous deviez repartir tout de suite.

D (10 points: 2 points per item)
21. Il faut que tu appelles un taxi.
22. Il faut que tu mettes ton passeport dans ta veste.
23. Il faut que tu emportes un livre.
24. Il ne faut pas que tu fermes tes bagages à clé.
25. Il faut que tu t'arrêtes au distributeur d'argent.

Application 1

A (10 points: 2 points per item)
1. b
2. a
3. b
4. b
5. a

B (10 points: 2 points per item)
Answers will vary. Possible answers:
6. Les passagers qui viennent d'un pays étranger.
7. C'est l'hôtesse qui le donne.
8. On peut payer par carte de crédit.
9. Il faut aussi montrer son passeport et son billet.
10. On doit payer cinquante euros.

C (15 points) Answer will vary. Possible answer:
Il faut que tu écoutes attentivement ce que l'hôtesse dit quand elle montre les consignes de sécurité. Parfois, on mange bien en avion, mais pas toujours! Généralement, après le repas, on passe un film. Etc.

Answer Key

Vocabulaire 2

A (5 points: 1 point per item)
1. les essuie-glaces/le pare-brise
2. le phare
3. le frein à main/ le changement de vitesse
4. le pneu/la roue de secours
5. le tableau de bord

B (5 points: 1 point per item)
6. volant
7. plaque
8. plein
9. coffre
10. Klaxonne!

C (10 points: 2 points per item)
11. b
12. d
13. e
14. c
15. a

D (10 points: 2 points per item)
Answers will vary. Possible answers:
16. secours
17. régler la pression
18. nettoyer le pare-brise
19. Appuie sur la pédale d'embrayage.
20. Tu ferais mieux d'allumer les phares.

Grammaire 2

A (5 points: 1 point per item)
1. devrai
2. arrivera
3. pourrez
4. seras
5. sauront

B (10 points: 2 points per item)
Answers will vary. Possible answers:
6. Nous nous arrêterons bientôt.
7. Je viendrai t'aider demain matin.
8. Vous verrez la sortie après l'aéroport.
9. On ne pourra pas réparer le pare-brise avant samedi.
10. Elles apprendront beaucoup en voyageant.

C (10 points: 2 points per item)
11. étais
12. avais
13. avait
14. avaient
15. étaient

D (10 points: 2 points per item)
Answers will vary. Possible answers:
16. J'ai entendu dire que tu avais perdu ton permis de conduire.
17. J'ai entendu dire que vous vous étiez déjà rencontrés.
18. J'ai entendu dire qu'elle était partie toute seule à Terre-Neuve.
19. J'ai entendu dire qu'ils étaient tombés en panne sur la route.
20. J'ai entendu dire que les billets avaient coûté assez cher.

Application 2

A (10 points: 2 points per item)
1. b
2. a
3. a
4. a
5. b

B (10 points: 2 points per item)
6. s'arrête
7. demande
8. se fait montrer
9. fait le plein
10. règle la pression des pneus

C (15 points) Answers will vary. Possible answer:

Moi Allô, Laure? Je suis sur l'autoroute, mais je crains de m'être perdue. Peux-tu me dire comment arriver chez toi?

Laure Bien sûr. Tu sais où est l'aéroport? Eh bien, prends la première sortie après l'aéroport et tu verras une route qui va vers Saumur. Ce n'est pas le chemin le plus rapide mais c'est le plus facile. [etc.]

Answer Key

Lecture

A (15 points) Answer will vary. Possible answer:
Arrêtez-vous de temps en temps sur la route pour vous reposer un peu.

B (15 points: 3 points per item)
1. a
2. a
3. b
4. b
5. b

C (20 points) Answers will vary. Possible answer:
Ces jours-ci, l'essence coûte tellement cher qu'on n'épargne rien en prenant l'autoroute. Et en plus, aux États-Unis, on habite souvent loin de sa famille et on a très peu de jours de vacances et voyager en voiture prend plus de temps que de voyager en avion. Voilà pourquoi je préfère voyager en avion. Etc.

Écriture

A (25 points) Answers will vary. Possible answer:
Ma voiture est super! Elle a deux portières, comme les voitures de sport et un grand coffre pour mettre tous mes bagages quand je pars en vacances! Je ferai faire la révision régulièrement et j'aurai toujours une roue de secours dans le coffre, au cas où je tomberai en panne! Etc.

B (25 points) Answers will vary. Possible answer:
L'année prochaine j'irai à la Martinique et je ferai de la plongée. À mon avis, faire de la plongée c'est comme voler mais le ciel c'est de l'eau. Et le soir, j'irai m'asseoir à la terrasse d'un café pour écouter du zouk joué par les musiciens de l'endroit. Etc.

Answer Key

Écoutons

A (5 points: 1 point per item)
1. en Martinique/à Fort-de-France
2. l'autorisation de décoller
3. Ils recevront à boire.
4. cinq
5. Elle va donner les consignes de sécurité.

B (10 points: 2 points per item)
Answer will vary. Possible answers:
6. Il doit aller à l'aéroport pour chercher ses copains.
7. Il doit prendre la sortie numéro 3.
8. Oui. Il est en retard.
9. C'est un changement de vitesse manuel.
10. Ils viennent du Mexique.

Lisons

C (5 points: 1 point per item)
11. a
12. b
13. b
14. a
15. b

D (5 points)   Answers will vary. Possible answer:
Je pense que le médecin va arriver à Londres à temps mais que son chauffeur de taxi aura un pneu à plat et qu'il n'arrivera pas à avoir son avion pour le Mali.

Culture

E (5 points: 1 point per item)
16. b
17. b
18. b
19. a
20. a

Vocabulaire

F (5 points: 1 point per item)
21. équipage
22. décalage
23. passer
24. débarquent
25. contrôle

G (5 points: 1 point per item)   Answers will vary. Possible answers:
26. coffre
27. réglé
28. essence
29. klaxonner
30. phare

H (5 points: 1 point per item)
31. e
32. c
33. f
34. a
35. b

Grammaire

I (5 points: 1 point per item)
36. de
37. à
38. aux
39. en
40. de

J (10 points: 2 points per item)
41. arrivent
42. aies
43. devions
44. dure
45. s'améliore

K (10 points: 2 points per item)
46. pensez
47. prennent
48. fera
49. verrai
50. enverrez

L (10 points: 2 points per item)

51. J'avais déjà utilisé la roue de secours.

52. Il avait fait le plein avant de partir.

53. Tu m'avais passé le volant avant d'arriver à Fort-de-France.

54. Vous étiez tombés en panne à ce moment-là.

55. Nous nous étions perdus dans la foule à l'aéroport.

Écrivons

M (10 points) Answers will vary. Possible answer:

Moi	Mademoiselle, si ce vol est retaré d'une heure, je vais rater l'avion que je dois prendre à Rome. Pouvez-vous m'aider?
L'hôtesse	Voyons, je ne sais pas… Ah, tenez, il y a un vol d'Air France à destination d'Istamboul qui fait escale à Rome. Je vais voir s'il reste des places. Ah! Vous avez de la chance. Il reste deux places.
Moi	Merci beaucoup, c'est vraiment très pratique. [etc.]

N (10 points) Answers will vary. Possible answer:

Moi	Eh bien, je pense que je n'ai pas bien réglé la pression de mes pneus et maintenant j'ai un pneu à plat.
Le mécanicien	Attendez, je vais voir. Oui, vous avez une roue de secours?
Moi	Oui, dans le coffre.
Le mécanicien	Vous n'avez pas de chance. Ce pneu est à plat lui aussi.
Moi	Ce n'est pas vrai! Mais qu'est-ce que je vais faire?
Le mécanicien	Je peux réparer votre pneu si vous voulez.

Scripts: Quizzes

Application 1

A 1. Attention s'il vous plaît: le vol Air Alexandrie numéro 223 en provenance de Londres débarque à la porte 5.

2. Attention, s'il vous plaît: dernier appel pour les passagers du vol Air Italie numéro 655 à destination de Rome, embarquement immédiat à la porte numéro 18.

3. Attention, s'il vous plaît: le vol Air Asie numéro 342 en provenance de Singapour a deux heures de retard. Il arrivera à 16h15.

4. Attention, s'il vous plaît: Pour votre sécurité, nous vous rappelons de garder vos bagages près de vous à tout moment et de ne pas accepter de paquets de personnes que vous ne connaissez pas. Merci pour votre coopération.

5. Attention, s'il vous plaît: Tout passager en provenance de l'étranger doit passer la douane après avoir repris ses bagages et avant de sortir de l'aéroport.

Application 2

A	**Didier**	C'est pas vrai, le moteur ne veut pas démarrer!
	Simone	Impossible! J'ai fait faire une révision avant-hier!
	Didier	Je vais juste ouvrir le capot pour voir ce qui ne va pas.
	Simone	Il n'en est pas question. C'est ton meilleur costume! Écoute, on va demander à Gérard s'il ne veut pas nous conduire.
	Didier	Tu exagères, je vais réparer ça en dix minutes.
	Simone	Justement, on n'a pas dix minutes. Je sonne… Bonjour, Gérard.
	Gérard	Bonjour… dis donc, tu es toute belle!
	Simone	Tu es gentil, Gérard. Est-ce que ça t'ennuierait de nous conduire à l'église? On est invités à un mariage et notre voiture ne veut pas démarrer.
	Gérard	Pas de problème, je prends mes clés et j'arrive.
	Simone	D'accord.
	Didier	Il va nous conduire?
	Simone	Oui, on est sauvés!

Examen

A Bonjour messieurs-dames et bienvenue à bord de ce vol Air France numéro 168 à destination de la Martinique. Je m'appelle Nicole, et avec Anaïs et Hélène, nous sommes trois hôtesses dans la cabine aujourd'hui. Votre commandant de bord et son co-pilote vous souhaitent aussi la bienvenue. Pendant que nous attendons l'autorisation de décoller, veuillez confirmer que vos bagages ne traînent pas dans l'allée et que vous avez bien mis votre ceinture. Si vous vous trouvez à côté d'une sortie d'urgence et que vous voulez changer de place, levez la main. Personne? Très bien. Alors, nous vous apporterons des boissons après le décollage. Maintenant, je voudrais demander votre attention pendant quelques minutes pour vous donner les consignes de sécurité de cet avion.

B

Alain	Quel est le chemin le plus rapide pour aller à l'aéroport? Yves m'a prêté sa voiture parce que je dois aller chercher des copains qui arrivent du Mexique et je ne suis pas en avance!
Adélaïde	Il faut que tu prennes l'autoroute A16 et que tu sortes à la sortie numéro 3. C'est facile, il y a un panneau qui indique la sortie pour l'aéroport.
Alain	Ah! Ça commence bien! Le moteur ne veut pas démarrer!
Adélaïde	Bon, passe-moi le volant.
Alain	Oui, merci, parce qu'en plus ce n'est pas un changement de vitesse automatique!
Adélaïde	Pas de problème. Ils viennent d'où tes amis?
Alain	D'Acapulco au Mexique. Tu connais?
Adélaïde	Non, mais j'aimerais bien y aller. Il paraît que c'est un très beau pays et que les Mexicains sont super sympas!

Examen final

Écoutons

A Listen to these announcements and match each one with an image below.

a.

b.

c.

d.

_____ 1.

_____ 2.

_____ 3.

_____ 4.

SCORE	/4

B Listen to each of these conversations. Then match the number of the conversation with the letter of the description that fits it best.

_____ 5.

_____ 6.

_____ 7.

_____ 8.

_____ 9.

_____ 10.

a. cautioning
b. reminding/reassuring
c. asking for information/clarification
d. making a suggestion
e. making a prediction
f. breaking news

SCORE	/6

EXAMEN FINAL

Lisons

C Read this ad and then decide whether the statements below are **a) vrai** or **b) faux.**

Vous inquiétez-vous pour vos jeunes enfants pendant que vous travaillez? Avez-vous un métier qui vous demande de faire des heures supplémentaires jusqu'à tard le soir? Ou bien êtes-vous au chômage parce qu'il n'y a pas assez de travail pour tout le monde? Je vous conseille donc de voter pour Chantal Darcy. Depuis vingt ans, elle est mère et avocate. Au Sénat, elle pourra faire entendre votre point de vue. Donnez-lui une chance de travailler pour vous. Votez donc pour Chantal Darcy le 13 novembre.

_____11. Chantal Darcy est députée.

_____12. un fonctionnaire, père de deux enfants voterait sans doute pour elle.

_____13. On dit des choses méchantes sur les autres candidats.

_____14. Chantal Darcy a des enfants elle-même.

_____15. Des personnes à la retraite voteraient sans doute pour elle.

SCORE	/5

D Read this flyer, and then decide whether the statements below are **a) vrai** or **b) faux.**

> ## Le Chapiteau Royal est arrivé
> **La compagnie joue au Festival d'Avignon,**
> **du 6 au 30 juillet**
> **tous les soirs à 21 h 00**
> Vous verrez des artistes du monde entier:
> clowns, jongleurs, trapézistes…
> Places de 15 € à 45 € en vente dès maintenant

_____16. Le spectacle a lieu à Paris.

_____17. C'est une comédie musicale.

_____18. Il n'y a que des artistes français.

_____19. Le spectacle dure tout l'été.

_____20. Il y a des places de différents prix.

SCORE	/5

EXAMEN FINAL   CHAPITRES **6–10**

Culture

E Choose the item that is best described by each sentence.

_____21. C'est la langue maternelle des Haïtiens.
   a. le français   b. le créole   c. l'anglais

_____22. C'est un petit appareil muni d'un système d'horloge.
   a. la minuterie   b. l'étagère   c. l'escalier

_____23. La Belgique est une _____.
   a. dictature   b. république   c. monarchie

_____24. La Suisse est divisée en _____.
   a. paroisses   b. cantons   c. quartiers

_____25. Il y en a 10.000 km en France.
   a. côtes   b. fleuves   c. autoroutes

SCORE _____ /5

Vocabulaire

F For each item, choose the response that would best answer the question.

_____26. As-tu bien mis nos passeports dans les bagages?
   a. Rassure-toi, j'ai pensé à tout.
   b. Tu as de la chance! Il y a encore une place.

_____27. Ce décor me fait penser à une forêt au printemps.
   a. Je te recommande plutôt d'aller au cirque.
   b. C'est vrai! On a l'impression d'entendre les oiseaux!

_____28. Je parie que le ministre va démissionner.
   a. Oui, j'ai entendu dire qu'il était malade.
   b. En ce qui me concerne, je crois qu'ils ont raison.

_____29. S'il vous plaît, je cherche la mairie.
   a. Allez, encore un petit effort!
   b. Allez tout droit jusqu'au carrefour et vous la verrez à gauche.

SCORE _____ /4

EXAMEN FINAL

Vocabulaire

G Match each image with one of the following statements.

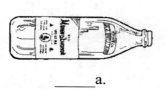

_____ a.

_____ b.

_____ c.

_____ d.

_____ 30. Bientôt, tu verras, on n'aura plus besoin d'essence. Il y aura peut-être moins de marées noires alors.

_____ 31. Tu ne recycles pas le verre, toi?

_____ 32. L'air serait un peu moins pollué si tous ces gens prenaient le métro!

_____ 33. Est-ce vrai qu'on grossit moins quand on mange des produits bio?

| SCORE | /4 |

H Djil and his friends are planning a soccer game, but the weather reports are making them think twice. Complete their conversation logically. Make all the necessary changes.

| éclair | endommager | tonnerre | inondation | orage |

    Djil   On prévoit un (34)_____ pour ce week-end.

Khaled   Les (35)_____, c'est dangereux quand on est en plein air.

    Djil   Oui, et puis la pluie pourrait bien (36)_____ le terrain.

Khaled   Oui, surtout s'il y a une (37)_____!

| SCORE | /4 |

EXAMEN FINAL   CHAPITRES **6—10**

I Using inversion, supply the questions that would prompt these answers.

38. _____

   Oh, tu sais, la musique classique, ce n'est vraiment pas mon style.

39. _____

   Oui, beaucoup! J'ai surtout aimé les dessins de Picasso.

40. _____

   Ça s'appelle un «tour».

41. _____

   Si, mes parents ont vu cette comédie musicale.

| SCORE | /8 |

J Maëva is teaching her son how to drive. Fill in the blanks as appropriate.

D'abord tu dois (42) _____ le moteur. Voilà. Et puis appuie

sur la pédale (43) _____ pour changer de

(44) _____. Maintenant, tu allumes les

(45)_____ pour qu'on voie la route. Et tu devrais aussi faire

(46)_____ à la prochaine (47)_____.

| SCORE | /6 |

Grammaire

K Write sentences with the comparative or the superlative using these elements.

48. ce candidat / être / - / intelligent / de tous

   _____

49. tes idées / me / paraître / + /intéressant / celles / de Paul

   _____

50. nous / avoir vu / = / opéra / vous

   _____

51. ce pâtissier / avoir / + / bon / tartes / de la ville

   _____

52. ils / parler espagnol / + / bien / nous

   _____

| SCORE | /10 |

EXAMEN FINAL CHAPITRES **6–10**

Grammaire

L Fill in the blanks with the correct forms of the verbs provided.

53. Je ne pense pas que mon fils _____ au cirque hier. (s'amuser)

54. Mon père doute que je _____ à l'heure hier soir. (rentrer)

55. Tout allait bien, jusqu'à ce que nous _____. (se disputer)

56. C'était un grand poète, bien qu'il _____ très gentil avec sa famille. (ne pas être)

| SCORE | /8 |

M Complete this passage using the correct pronouns.

Cet après-midi, quand je (57)_____ suis rappelé quel jour c'était, je suis tout de suite allé (58)_____ acheter un cadeau. Ensuite, j'ai vite couru chez le pâtissier, et je (59)_____ ai demandé de (60)_____ dépêcher de faire son plus beau gâteau. Alors, voilà, chérie. Je (61)_____ souhaite un très heureux anniversaire!

| SCORE | /5 |

N Yannick doesn't have much time before his trip, so he's delegating. He's already crossed off what's been done for him. Write a complete sentence about each item. Be sure to use the correct verb tense. Use the causative **faire.**

- ~~repasser les chemises~~ 62. _____

- ~~se couper les cheveux~~ 63. _____

- réparer sa montre 64. _____

- faire la révision de la 65. _____
   voiture

| SCORE | /4 |

Grammaire

O   Write an answer to each question. In your answer, use a present participle used as an adjective that matches the underlined verb.

66. Est-ce que cette personne ne t'<u>énerve</u> pas un peu?

_____

67. Les films d'horreur ne m'<u>intéressent</u> pas beaucoup, et toi?

_____

68. Ça ne vous <u>fatigue</u> pas de faire des heures supplémentaires?

_____

69. Cette comédie <u>ne m'a pas amusée</u>. Et vous, comment l'avez-vous trouvée?

_____

70. Sa visite m'a <u>surpris</u>, pas toi, Julien?

_____

SCORE	/5

P   Rewrite the following sentences in the passive voice.

71. À la fin de la pièce, on a rappelé cet acteur plusieurs fois sur scène.

_____

72. C'est un enfant qui a écrit cette lettre.

_____

73. Vingt mille spectateurs ont déjà applaudi cette pièce.

_____

74. Les électeurs ont choisi les meilleurs candidats!

_____

SCORE	/8

EXAMEN FINAL   CHAPITRES **6—10**

Écrivons

Q Your best friend was supposed to come to French Polynesia with you on a tropical vacation, but he/she sprained an ankle and had to stay behind. Write a letter in which you describe the place.

_____

_____

_____

_____

_____

_____

_____

| SCORE | /5 |

R Do you enjoy traveling by air? Why or why not? Give at least two reasons to explain your point of view.

_____

_____

_____

_____

_____

_____

| SCORE | /4 |

| TOTAL SCORE | /100 |

Answer Key

Écoutons

A (4 points: 1 point per item)
1. b
2. a
3. d
4. c

B (6 points: 1 point per item)
5. f
6. e
7. a
8. d
9. b
10. c

Lisons

C (5 points: 1 point per item)
11. b
12. a
13. b
14. a
15. b

D (5 points: 1 point per item)
16. b
17. b
18. b
19. b
20. a

Culture

E (5 points: 1 point per item)
21. b
22. a
23. c
24. b
25. c

Vocabulaire

F (4 points: 1 point per item)
26. a
27. b
28. a
29. b

G (4 points: 1 point per item)
30. d
31. a
32. c
33. b

H (4 points: 1 point per item)
34. orage
35. éclairs
36. endommager
37. inondation

I (8 points: 2 points per item) Answers will vary. Possible answers:
38. Que penses-tu de cet orchestre?
39. Cette exposition t'a-t-elle plu?
40. Comment cela s'appelle-t-il?
41. Tes parents n'ont-ils pas vu cette comédie musicale?

J (6 points: 1 point per item)
42. démarrer
43. d'embrayage
44. vitesse
45. phares
46. le plein
47. station-service

Answer Key

Grammaire

K (10 points: 2 points per item)

48. Ce candidat est le moins intelligent de tous.
49. Tes idées me paraissent plus intéressantes que celles de Paul.
50. Nous avons vu autant d'opéras que vous.
51. Ce pâtissier a les meilleures tartes de la ville.
52. Ils parlent espagnol mieux que nous.

L (8 points: 2 points per item)

53. se soit amusé
54. rentré(e)
55. nous disputions
56. n'ait pas été

M (5 points: 1 point per item)

57. me
58. t'
59. lui
60. se
61. te

N (4 points: 1 point per item) Answers will vary. Possible answers:

62. Il a fait repasser ses chemises.
63. Il s'est fait couper les cheveux.
64. Il va faire réparer sa montre.
65. Il va faire faire la révision de sa voiture.

O (5 points: 1 point per item) Answers will vary. Possible answers:

66. Oui, je la trouve énervante!
67. Non, je ne les trouve pas très intéressants non plus.
68. Si, c'est fatigant.
69. Moi non plus, je ne l'ai pas trouvée amusante.
70. Si, elle m'a surpris aussi.

P (8 points: 2 points per item)

71. Cet acteur a été rappelé plusieurs fois sur scène à la fin de la pièce.
72. Cette lettre a été écrite par un enfant.
73. Cette pièce a déjà été applaudie par vingt mille spectateurs.
74. Les meilleurs candidats ont été choisis par les électeurs!

Answer Key

Écrivons

Q (5 points)   Answers will vary. Sample answer:

Chère Annie, c'est dommage que tu n'aies pas pu venir! C'est le plus bel endroit du monde. Tu devrais voir les fleurs qu'il y a ici! Les paysages aussi sont surprenants! Etc.

R (4 points)

Answers will vary. Sample answer:

Avant, j'aimais beaucoup voyager en avion. J'aimais me mettre à côté du hublot et regarder les nuages et puis la terre toute petite mais en même temps très grande. Mais maintenant, je trouve que ce n'est plus très amusant. D'abord, il faut se dépêcher pour arriver à l'heure, ensuite il faut faire la queue pendant des heures, et une fois à bord, on ne reçoit rien de bon à manger. Etc.

Écoutons

A   1. —Ce week-end en séance spéciale, on va passer de vieux films d'action au cinéma Métropolite.

    2. —Il y a eu une violente éruption hier à Hiva Oa. Plusieurs villages ont été détruits, mais heureusement les habitants avaient évacué la veille.

    3. —À vendre: voiture de sport, 2 portières, bon état. Appelez le 01.97.08.08.

    4. —Ce week-end, il fera froid. La température sera d'environ 10 degrés à midi et de 3 degrés le soir.

B   5. —Tu connais la dernière? Un quart de la classe aurait raté l'examen!

      —Pas possible! Qui t'a dit ça?

    6. —Je parie que Jeanne sera à la fête.

      —Ça m'étonnerait. Elle devait partir ce week-end.

    7. —Mets ton casque et méfie-toi des voitures!

      —Oui, maman.

    8. —Je veux voir le nouveau documentaire sur la guerre.

      —Tu ferais mieux de voir le dernier film de Marcel Tatou!

    9. —Est-ce que tu as fait faire la révision de la voiture?

      —Rassure-toi, j'ai pensé à tout.

  10. —Est-ce que l'avion en provenance de Nice a déjà atterri?

      —Non, pas encore monsieur. Il a une demi-heure de retard.

Speaking Tests

To the Teacher

Evaluating Oral Tests

The criteria that can be applied to the evaluation of oral tests and/or assignments should include content, both comprehensibility and comprehension, and accuracy.

An evaluation of content in an oral assignment means determining to what extent the speaker (student) uses the appropriate functional expressions and vocabulary in order to communicate. The degree to which a student does or does not accomplish this can be given a numeric value that forms the basis for an overall grade.

In any oral assignment, both the student's ability to understand what is said to him or her (as in a conversation), as well as the ability to communicate so that the listener understands, should be evaluated. How well students do or do not accomplish that can be evaluated with the use of a rubric.

Accuracy is another criterion that should be included in an oral assignment: whether the student uses language correctly, including grammar and word order.

A criterion that applies specifically to oral delivery is fluency: does the speaker speak clearly without hesitation? Do the speaker's pronunciation and intonation sound natural?

As with the evaluation of written work, students generally appreciate it if you include as a criterion the effort they put into the test, assignment, or project. It is especially gratifying to students who make a special effort—who include, for example, details that go beyond what is required—to know that their effort is part of the big picture, and that their special effort is recognized.

The rubric on page 330 reflects these criteria and provides guidelines for assessing each of them in a range of 4 (best) to 1 (worst). A rubric is also provided with each speaking test.

Retour de vacances

CHAPITRE **1**

EXAMEN ORAL

Interview

Digital
performance space

A Respond to the following questions in French.

1. Qu'est-ce que tu as fait pendant les vacances?

2. Peux-tu décrire un endroit que tu as visité?

3. Qu'est-ce que tu veux faire comme sport cette année? Pourquoi?

4. Quelle est ta matière préférée? Pourquoi?

5. Qu'est-ce que tes copains aiment faire après les cours?

Role-Play

B Act out the following situation with a classmate.

You're a French student who's just returned from a vacation in the United States, where you went to improve your English. Now you're visiting your grandmother or grandfather, who wants to know all about what you did and saw while you were there. He/she also wants to know how you plan to keep up your English now that you're back in France. Tell him/her everything. Then switch roles.

Speaking Rubric

COMPREHENSION (ability to understand verbal cues and respond appropriately)	(POOR)	1	2	3	4	(EXCELLENT)
COMPREHENSIBILITY (ability to communicate ideas and be understood)	(POOR)	1	2	3	4	(EXCELLENT)
ACCURACY (ability to use structures and vocabulary correctly)	(POOR)	1	2	3	4	(EXCELLENT)
FLUENCY (ability to communicate clearly and smoothly)	(POOR)	1	2	3	4	(EXCELLENT)
EFFORT (inclusion of details beyond the minimum requirements)	(POOR)	1	2	3	4	(EXCELLENT)

Le monde du travail

Digital
performance space

Interview

A Respond to the following questions in French.

1. Qu'est-ce que tu as l'intention de faire après le lycée? Pourquoi?

2. Moi j'adore les voitures. Qu'est-ce que tu me conseilles de devenir?

3. Comment est-ce que tu demanderais poliment à quelqu'un de tondre ta pelouse?

4. À ton avis, quel âge auras-tu quand tu auras fini tes études?

5. Qu'est-ce qu'il faut faire quand on a un chat qui est malade?

Role-Play

B Act out the following situation with a classmate.

You're calling the office of an establishment for which you'd really like to do an internship. First, you speak to the receptionist, who puts you through to madame Clermont, who is in charge of staffing. She's pleasant, but clearly busy. Now you must explain your reasons for wanting an internship, and see if she can use you. When you're done with your conversation, switch roles.

Speaking Rubric

COMPREHENSION (ability to understand verbal cues and respond appropriately)	(POOR)	1	2	3	4 (EXCELLENT)
COMPREHENSIBILITY (ability to communicate ideas and be understood)	(POOR)	1	2	3	4 (EXCELLENT)
ACCURACY (ability to use structures and vocabulary correctly)	(POOR)	1	2	3	4 (EXCELLENT)
FLUENCY (ability to communicate clearly and smoothly)	(POOR)	1	2	3	4 (EXCELLENT)
EFFORT (inclusion of details beyond the minimum requirements)	(POOR)	1	2	3	4 (EXCELLENT)

Il était une fois...

EXAMEN ORAL

Interview

Digital
performance space

A Respond to the following questions in French.

1. Est-ce que tu aimes les contes et légendes? Pourquoi ou pourquoi pas?

2. Que seras-tu un jour: un ancien élève ou un élève ancien?

3. Qu'est-ce que ton ami(e) t'a dit qu'il/elle avait fait l'été dernier.

4. Quel est un endroit que la France a colonisé? Comment cela s'est passé?

5. Qu'est-ce que ton ami(e) t'a dit qu'il/elle allait faire ce week-end.

Role-Play

B Act out the following situation with your classmates.

Students should tell a story together: one student begins it, and each student in turn adds a small section until the last student ends it. It should be a legend with traditional beginning and ending structures, as well as a moral at the end.

Speaking Rubric

COMPREHENSION (ability to understand verbal cues and respond appropriately)	(POOR)	1	2	3	4	(EXCELLENT)
COMPREHENSIBILITY (ability to communicate ideas and be understood)	(POOR)	1	2	3	4	(EXCELLENT)
ACCURACY (ability to use structures and vocabulary correctly)	(POOR)	1	2	3	4	(EXCELLENT)
FLUENCY (ability to communicate clearly and smoothly)	(POOR)	1	2	3	4	(EXCELLENT)
EFFORT (inclusion of details beyond the minimum requirements)	(POOR)	1	2	3	4	(EXCELLENT)

Amours et amitiés

Interview

A Respond to the following questions in French.

1. Une amie te demande conseil parce qu'elle a rompu avec son copain. Qu'est-ce que tu lui dis?

2. Est-ce qu'il y a des jumeaux dans ta famille? Est-ce qu'il y a quelqu'un dans ta famille qui est veuf ou veuve?

3. As-tu déjà dit quelque chose à quelqu'un que tu as regretté après?

4. Vous êtes-vous disputés? Qu'est-ce qui s'est passé ensuite?

5. Si tu avais su que vous alliez vous disputer, est-ce que tu aurais dit ces choses?

Role-Play

B Act out the following situation with a classmate.

You're talking with a family member on the phone. Ask that person about him or herself and then about two other people in your family: how they are, what's happened to them lately. The person you're talking with needs to tell you about him or herself, and then about the other two.

Speaking Rubric

COMPREHENSION (ability to understand verbal cues and respond appropriately)	(POOR)	1	2	3	4	(EXCELLENT)
COMPREHENSIBILITY (ability to communicate ideas and be understood)	(POOR)	1	2	3	4	(EXCELLENT)
ACCURACY (ability to use structures and vocabulary correctly)	(POOR)	1	2	3	4	(EXCELLENT)
FLUENCY (ability to communicate clearly and smoothly)	(POOR)	1	2	3	4	(EXCELLENT)
EFFORT (inclusion of details beyond the minimum requirements)	(POOR)	1	2	3	4	(EXCELLENT)

En pleine nature

Interview

Digital *performance* space

A Respond to the following questions in French.

1. Qu'est-ce que tu apporterais à une fête chez un(e) ami(e)?

2. Qu'est-ce que tu ferais si tu voyais un ours dans les bois?

3. Que dirais-tu à un enfant qui essaie d'attraper une abeille?

4. Qu'est-ce qu'on emporte pour aller faire de la plongée sous-marine?

5. Est-ce que tu as déjà fait des sports extrêmes? Lesquels?

Role-Play

B Act out the following situation with a classmate.

You're on a tough hike, and your friend is starting to get tired and disoriented. He/she wants to know when you'll be at your destination. Your job is to encourage your friend to keep going.

Speaking Rubric

COMPREHENSION (ability to understand verbal cues and respond appropriately)	(POOR)	1	2	3	4	(EXCELLENT)
COMPREHENSIBILITY (ability to communicate ideas and be understood)	(POOR)	1	2	3	4	(EXCELLENT)
ACCURACY (ability to use structures and vocabulary correctly)	(POOR)	1	2	3	4	(EXCELLENT)
FLUENCY (ability to communicate clearly and smoothly)	(POOR)	1	2	3	4	(EXCELLENT)
EFFORT (inclusion of details beyond the minimum requirements)	(POOR)	1	2	3	4	(EXCELLENT)

La presse

Digital
performance space

Interview

A Respond to the following questions in French.

1. À ton avis, faut-il croire tout ce qu'on lit dans la presse? Pourquoi?

2. Est-ce que tu as déjà écrit ou répondu à une petite annonce?

3. Qu'est-ce que tu lis comme journal ou comme magazine?

4. Si tu n'en lis aucun, comment sais-tu ce qui se passe dans le monde?

5. Crois-tu que les lecteurs apprennent quelque chose en regardant les dessins humoristiques?

Role-Play

B Act out the following situation with a classmate.

You're a student in Paris who takes the bus or subway to get to school. This morning on the radio, you heard something about a transportation workers' strike, but you missed the details. You've just met up with your friend, who heard the same item but has more information than you. Ask him/her specific questions about whether and how you're going to get to school today.

Speaking Rubric

COMPREHENSION (ability to understand verbal cues and respond appropriately)	(POOR)	1	2	3	4	(EXCELLENT)
COMPREHENSIBILITY (ability to communicate ideas and be understood)	(POOR)	1	2	3	4	(EXCELLENT)
ACCURACY (ability to use structures and vocabulary correctly)	(POOR)	1	2	3	4	(EXCELLENT)
FLUENCY (ability to communicate clearly and smoothly)	(POOR)	1	2	3	4	(EXCELLENT)
EFFORT (inclusion of details beyond the minimum requirements)	(POOR)	1	2	3	4	(EXCELLENT)

Notre planète

Digital
performance))space

Interview

A Respond to the following questions in French.

1. Qu'est-ce qui cause le plus de dégâts: un incendie ou une inondation?

2. Je vais aller faire du ski. Quel conseil me donnerais-tu?

3. Dans quelle région des États-Unis est-ce qu'il y a le plus de tremblements de terre? Et de tornades?

4. Quelle est une chose que tu peux faire pour réduire la pollution?

5. Quel est un effet possible du réchauffement de la planète?

Role-Play

B Act out the following situation with classmates.

You are environmentalists at a conference discussing ways to reduce global warming. One of you is the moderator who asks each environmentalist to speak in turn. Each one has a different idea about the most important measure that can be taken. From something as simple as turning off anything that's not being used to something as complex as inventing a new mode of transportation, nothing is off limits in this discussion, but all ideas must be supported.

Speaking Rubric

COMPREHENSION (ability to understand verbal cues and respond appropriately)	(POOR)	1	2	3	4	(EXCELLENT)
COMPREHENSIBILITY (ability to communicate ideas and be understood)	(POOR)	1	2	3	4	(EXCELLENT)
ACCURACY (ability to use structures and vocabulary correctly)	(POOR)	1	2	3	4	(EXCELLENT)
FLUENCY (ability to communicate clearly and smoothly)	(POOR)	1	2	3	4	(EXCELLENT)
EFFORT (inclusion of details beyond the minimum requirements)	(POOR)	1	2	3	4	(EXCELLENT)

La société

Interview

A Respond to the following questions in French.

    1. À ton avis, est-ce important de voter? Pourquoi?

    2. T'intéresses-tu à la politique? Tes amis s'y intéressent-ils?

    3. Travaillerais-tu à la campagne électorale d'un candidat? Pourquoi?

    4. À qui demanderais-tu de l'aide si on t'avait volé ton vélo?

    5. Qui appellerais-tu si tu voyais de la fumée sortir d'une maison?

Role-Play

B Act out the following situation with a classmate.

You're in France for two weeks and have lost your passport. Now you're on the phone with a civil servant, asking what you need to do to replace it. The civil servant tells you what you need to bring with you when you go to get your new passport. When the conversation is over, switch roles. Now you're answering the call of someone who needs an ambulance. Ask them what happened, and where they are (not only address, but type of building, where entrance is located, etc.), and end the conversation by telling them that help is on the way.

Speaking Rubric

COMPREHENSION (ability to understand verbal cues and respond appropriately)	(POOR)	1	2	3	4	(EXCELLENT)
COMPREHENSIBILITY (ability to communicate ideas and be understood)	(POOR)	1	2	3	4	(EXCELLENT)
ACCURACY (ability to use structures and vocabulary correctly)	(POOR)	1	2	3	4	(EXCELLENT)
FLUENCY (ability to communicate clearly and smoothly)	(POOR)	1	2	3	4	(EXCELLENT)
EFFORT (inclusion of details beyond the minimum requirements)	(POOR)	1	2	3	4	(EXCELLENT)

L'art en fête

EXAMEN ORAL

Interview

A Respond to the following questions in French.

1. Quel est ton chanteur/ta chanteuse préféré(e)? Pourquoi?

2. Est-ce que tu joues du piano? De la guitare? Si non, est-ce que tu aimerais savoir jouer d'un instrument? Lequel?

3. Qu'est-ce que tu penses des spectacles de cirque actuels, qui ont un côté artistique?

4. Qu'est-ce que tu trouves le plus intéresssant: l'opéra ou les comédies musicales? Pourquoi?

5. Est-ce que tu aimerais être critique d'art? Pourquoi?

Role-Play

B Act out the following situation with a classmate.

This is your last night in London with a friend. You want to see a play, but your friend wants to go to a movie. You have to convince your friend that your idea is better. When you're done, switch roles.

Speaking Rubric

COMPREHENSION (ability to understand verbal cues and respond appropriately)	(POOR)	1	2	3	4	(EXCELLENT)
COMPREHENSIBILITY (ability to communicate ideas and be understood)	(POOR)	1	2	3	4	(EXCELLENT)
ACCURACY (ability to use structures and vocabulary correctly)	(POOR)	1	2	3	4	(EXCELLENT)
FLUENCY (ability to communicate clearly and smoothly)	(POOR)	1	2	3	4	(EXCELLENT)
EFFORT (inclusion of details beyond the minimum requirements)	(POOR)	1	2	3	4	(EXCELLENT)

Bon voyage!

Digital **performance space**

Interview

A Respond to the following questions in French.

1. À combien de bagages a-t-on droit dans la cabine d'un avion?

2. Dans quels pays as-tu déjà voyagé?

3. Ton ami(e) va voyager en avion pour la première fois. Qu'est-ce qu'il faut qu'il/elle fasse?

4. As-tu déjà conduit une voiture à changement de vitesse manuel? Qu'est-ce qui est différent quand on change de vitesse?

5. Chez toi, qui est-ce qui fait faire la révision de la voiture?

Role-Play

B Act out the following situation with a classmate.

You're on a limited budget, but your car needs a tune-up. You and your mechanic are discussing what needs to be done now, and what can wait. Go through a list of items and decide on each one. Then switch roles.

Speaking Rubric

COMPREHENSION (ability to understand verbal cues and respond appropriately)	(POOR)	1	2	3	4	(EXCELLENT)
COMPREHENSIBILITY (ability to communicate ideas and be understood)	(POOR)	1	2	3	4	(EXCELLENT)
ACCURACY (ability to use structures and vocabulary correctly)	(POOR)	1	2	3	4	(EXCELLENT)
FLUENCY (ability to communicate clearly and smoothly)	(POOR)	1	2	3	4	(EXCELLENT)
EFFORT (inclusion of details beyond the minimum requirements)	(POOR)	1	2	3	4	(EXCELLENT)

Alternative
Assessment

To the Teacher

Alternative Assessment

Students learn differently and progress at different rates in developing their oral and written skills. The Alternative Assessment accommodates those differences and offers opportunities for all students to be evaluated in ways that enable them to succeed. Here you will find suggestions for three types of assessment that go beyond the standard quizzes and tests: picture sequences, portfolio suggestions, and performance assessment. Each section offers specific suggestions for incorporating each type of assessment into your instructional plan.

Using Picture Sequences for Assessment

The picture sequences section can be used in a variety of ways. As the basis for a speaking test, you can have students describe what they see in the picture or use the pictures to narrate a story. As a written assessment, you can ask for the same things but have students write their responses. The picture sequences are especially good for the visual learners in the class. They are also a comfortable first step in putting your students on the road to advanced placement testing.

Portfolio Suggestions

Student portfolios benefit foreign language students and teachers alike because they provide documentation of a student's efforts, progress, and achievements over a given period of time. In addition, students receive both positive feedback and constructive criticism by sharing their portfolios with teachers, family members, and peers.

Setting up the Portfolios

The first step in implementing portfolios is to determine the purpose for which they will be used: to assess an individual student's growth and progress, to make students active in the assessment process, to provide evidence and documentation of students' work for more effective communication with parents, or to evaluate an instructional program of curriculum. Both the contents of the portfolio and the manner in which it is evaluated will depend directly on the purpose(s) the portfolio is to serve.

Portfolios are especially useful tools for assessing written and oral work. Written items can be in a variety of forms, depending on the level and needs of the students. Oral items may be recorded on audio, on video, or online for incorporation into the portfolio. Whatever the format, both written and oral work can include evidence of the developmental process, such as notes from brainstorming or early drafts, as well as the finished product.

Selecting Materials for the Portfolio

Work to be included in the portfolio should be selected on the basis of the portfolio's purpose and evaluation criteria to be used. Many teachers prefer to let students choose samples of their best work to include in their portfolios. This option gives students a sense of ownership that is likely to increase as their involvement at the decision-making level increases. Some teachers prefer that portfolios contain students' responses to prompts or activities, allowing the teacher to focus attention on specific functions, vocabulary items, and grammar points. A third option is some combination of the two approaches. You can assign specific activities from which students may choose what to include in their portfolios, or you can assign some specific activities and allow students to choose others on their own.

Using the Portfolio Checklists

The checklists on pages 337 and 338 will help you and your students keep their portfolios organized. The Students' Portfolio Checklist will help students track the items they include. The Teacher's Portfolio Checklist is a list of items you expect students to include.

Peer Editing

The Alternative Assessment section includes a Peer-Editing Rubric (p. 335) to encourage peer editing and to aid students in this part of the evaluation process. Using the rubric, students can exchange compositions (usually a first draft) and edit each other's work according to a clearly designed, step-by-step process. The Peer Editing Rubric can be used with any written assignment.

Evaluating the Portfolio

Students' portfolios should be evaluated at regular intervals. Establish the length of the assessment period in advance: six weeks, a quarter, a semester, or another period. The Portfolio Self-Evaluation and Portfolio Evaluation forms on pages 339 and 340 are designed to aid you and your students in assessing their portfolios at the end of each assessment period.

Performance Assessment

Performance assessment uses authentic situations as contexts for performing communicative, competency-based tasks. Suggestions in this section give students the opportunity to demonstrate both acquired language proficiency and cutural competence in interviews, conversations, or skits that can be performed for the entire class, or recorded or videotaped for evaluation at a later time. Such recordings can be included in student portfolios.

Oral Rubric A • Presentational Communication

Use the following criteria to evaluate oral assignments in which only one student is speaking.

	Content	Comprehensibility	Accuracy	Fluency
	Complete	**Comprehensible**	**Accurate**	**Fluent**
4	Speaker consistently uses the appropriate structures and vocabulary necessary to communicate.	Listener understands all of what the speaker is trying to communicate.	Speaker uses language correctly, including grammar and word order.	Speaker speaks clearly without hesitation. Pronunciation and intonation seem natural.
	Generally complete	**Usually comprehensible**	**Usually accurate**	**Moderately fluent**
3	Speaker usually uses the appropriate structures and vocabulary necessary to communicate.	Listener understands most of what the speaker is trying to communicate.	Speaker usually uses language correctly, including grammar and word order.	Speaker has few problems with hesitation, pronunciation, and intonation.
	Somewhat complete	**Sometimes comprehensible**	**Sometimes accurate**	**Somewhat fluent**
2	Speaker sometimes uses the appropriate structures and vocabulary necessary to communicate.	Listener understands less than half of what the speaker is trying to communicate.	Speaker sometimes uses language correctly.	Speaker has some problems with hesitation, pronunciation, and intonation.
	Incomplete	**Seldom comprehensible**	**Seldom accurate**	**Not fluent**
1	Speaker uses few of the appropriate structures and vocabulary necessary to communicate.	Listener understands little of what the speaker is trying to communicate.	Speaker seldom uses language correctly.	Speaker hesitates frequently and struggles with pronunciation and intonation.

Oral Rubric B • Interpersonal Communication

Use the following criteria to evaluate individual participation in oral assignments in which two or more students are speaking.

	Content	Comprehension	Comprehensibility	Accuracy	Fluency
4	**Complete**	**Total comprehension**	**Comprehensible**	**Accurate**	**Fluent**
	Speaker consistently uses the appropriate structures and vocabulary necessary to communicate.	Speaker understands all of what is said to him or her.	Listener understands all of what the speaker is trying to communicate.	Speaker uses language correctly, including grammar and word order.	Speaker speaks clearly without hesitation. Pronunciation and intonation seem natural.
3	**Generally complete**	**General comprehension**	**Usually comprehensible**	**Usually accurate**	**Moderately fluent**
	Speaker usually uses the appropriate structures and vocabulary necessary to communicate.	Speaker understands most of what is said to him or her.	Listener understands most of what the speaker is trying to communicate.	Speaker usually uses language correctly, including grammar and word order.	Speaker has few problems with hesitation, pronunciation, and intonation.
2	**Somewhat complete**	**Moderate comprehension**	**Sometimes comprehensible**	**Sometimes accurate**	**Somewhat fluent**
	Speaker sometimes uses the appropriate structures and vocabulary necessary to communicate.	Speaker understand some of what is said to him or her.	Listener understands less than half of what the speaker is trying to communicate.	Speaker sometimes uses language correctly.	Speaker has some problems with hesitation, pronunciation, and intonation.
1	**Incomplete**	**Little comprehension**	**Seldom comprehensible**	**Seldom accurate**	**Not fluent**
	Speaker uses few of the appropriate structures and vocabulary necessary to communicate.	Speaker understands little of what is said to him or her.	Listener understands little of what the speaker is trying to communicate.	Speaker seldom uses language correctly.	Speaker hesitates frequently and struggles with pronunciation and intonation.

Oral Progress Report

OVERALL IMPRESSION

☐ Excellent ☐ Good ☐ Satisfactory ☐ Unsatisfactory

Some particularly good aspects of this item are _____

_____

_____

_____

_____

Some areas that could be improved are _____

_____

_____

_____

_____

To improve your speaking, I recommend _____

_____

_____

_____

_____

Additional comments _____

_____

_____

_____

_____

Written Rubric A

Use the following criteria to evaluate written assignments.

	4	**3**	**2**	**1**
Content	**Complete**	**Generally complete**	**Somewhat complete**	**Incomplete**
	Writer uses the appropriate functions and vocabulary for the topic.	Writer usually uses the appropriate functions and vocabulary for the topic.	Writer uses few of the appropriate functions and vocabulary for the topic.	Writer uses none of the appropriate functions and vocabulary for the topic.
Comprehensibility	**Comprehensible**	**Usually comprehensible**	**Sometimes comprehensible**	**Seldom comprehensible**
	Reader can understand all of what the writer is trying to communicate.	Reader can understand most of what the writer is trying to communicate.	Reader can understand less than half of what the writer is trying to communicate.	Reader can understand little of what the writer is trying to communicate.
Accuracy	**Accurate**	**Usually Accurate**	**Sometimes accurate**	**Seldom accurate**
	Writer uses grammar, spelling, word order, and punctuation correctly.	Writer usually uses grammar, spelling, word order, and punctuation correctly.	Writer has some problems with language usage.	Writer makes a significant number of errors in language usage.
Organization	**Well-organized**	**Generally well-organized**	**Somewhat organized**	**Poorly organized**
	Presentation is logical and effective.	Presentation is generally logical and effective with a few minor problems.	Presentation is somewhat illogical and confusing in places.	Presentation lacks logical order and organization.
Effort	**Excellent effort**	**Good effort**	**Moderate effort**	**Minimal effort**
	Writer exceeds the requirements of the assignment and has put care and effort into the process.	Writer fulfills all of the requirements of the assignment.	Writer fulfills some of the requirements of the assignment.	Writer fulfills few of the requirements of the assignment.

Written Progress Report

OVERALL IMPRESSION

☐ Excellent   ☐ Good   ☐ Satisfactory   ☐ Unsatisfactory

Some particularly good aspects of this item are _____

_____

_____

_____

_____

Some areas that could be improved are _____

_____

_____

_____

_____

To improve your written work, I recommend _____

_____

_____

_____

_____

Additional comments_____

_____

_____

_____

_____

Peer-Editing Rubric

Chapter _____

I. **Content:** Look for the following elements in your partner's composition. Put a check next to each category when you finish it.

1. _____ Vocabulary — Does the composition use enough new vocabulary from the chapter? Underline all the new vocabulary words you find from this chapter. What additional words do you suggest that your partner try to use?

2. _____ Organization — Is the composition organized and easy to follow? Can you find an introduction and a conclusion?

3. _____ Comprehensibility — Is the composition clear and easy to understand? Is there a specific part that was hard to understand? Did you understand the author's meaning? Draw a box around any sections that were particularly hard to understand.

4. _____ Target Functions and Grammar — Ask your teacher what functions and grammar you should focus on for this chapter and list them below:

Focus: _____

II. **Proofreader's checklist:** Circle any errors you find in your partner's composition, so that your partner can correct his or her errors. See the chart for some examples.

Incorrect form of the verb	*aime* J'(aimes) le cinéma.
Adjective-Noun agreement	*intelligentes* Mes amiés sont (intelligents.)
Subject-Verb agreement	*vas* Tu (va) à la plage?
Spelling	*seize* Il a (sieze) ans.
Article	*la* Elle aime (le) glace.
Transition words (if they apply to the chapter)	d'abord, ensuite, après, enfin etc.
Accents and Punctuation	*vélo* Nous faisons du (velo.)

III. Explain your content and grammar suggestions to your partner. Answer any questions about your comments.

Peer Editor's signature: _____ Date: _____

Documentation of Group Work

Chapter _____ Item _____

Group Members (your name first): _____

_____

_____

_____

_____

Description of Item: _____

_____

_____

_____

_____

Your Personal Contribution: _____

_____

_____

_____

_____

Please rate your personal contribution to the group's work.

☐ Excellent　　☐ Good　　☐ Satisfactory　　☐ Unsatisfactory

Student's Portfolio Checklist

TO THE STUDENT This form should be used to keep track of the materials you are including in your portfolio. It is important that you keep this list up-to-date so that your portfolio will be complete at the end of the assessment period. As you build your portfolio, try to include pieces of your work that demonstrate progress in your ability to speak and write in French.

	Type of Item	**Date Completed**	**Date Placed in Portfolio**
Item #1			
Item #2			
Item #3			
Item #4			
Item #5			
Item #6			
Item #7			
Item #8			
Item #9			
Item #10			
Item #11			
Item #12			

Teacher's Portfolio Checklist

TO THE STUDENT This form should be used to keep track of the materials you expect your students to keep in their portfolios for the semester. Encourage students keep their lists up-to-date so that their portfolios will be complete at the end of the assessment period.

	Type of Item	Date Completed	Date Placed in Portfolio
Item #1			
Item #2			
Item #3			
Item #4			
Item #5			
Item #6			
Item #7			
Item #8			
Item #9			
Item #10			
Item #11			
Item #12			

Portfolio Self-Evaluation

TO THE STUDENT Your portfolio consists of selections of your written and oral work. You should consider all the items in your portfolio as you evaluate your progress. Read the statements below and mark a box to the right of each statement to show how well you think your portfolio demonstrates your skills and abilities in French.

	Strongly Agree	Agree	Disagree	Strongly Disagree
1. My portfolio contains all of the required items.				
2. My portfolio provides evidence of my progress in speaking and writing French.				
3. The items in my portfolio demonstrate that I can communicate my ideas in French.				
4. The items in my portfolio demonstrate accurate use of French.				
5. The items in my portfolio show that I understand and can use a wide variety of French vocabulary.				
6. When creating the items in my portfolio, I tried to use what I have learned in new ways.				
7. The items in my portfolio provide an accurate picture of my skills and abilities in French.				

The item I like best in my portfolio is _____

because (please give at least three reasons) _____

_____

_____

_____

_____

_____

I find my portfolio to be (check one):

☐ Excellent ☐ Good ☐ Satisfactory ☐ Unsatisfactory

Nom _____ Classe _____ Date _____

Portfolio Evaluation

I have reviewed the items in your portfolio and want to share with you my reactions to your work.

Teacher's signature: _____ Date: _____

	Strongly Agree	Agree	Disagree	Strongly Disagree
1. Your portfolio contains all of the required items.				
2. Your portfolio provides evidence of your progress in speaking and writing French.				
3. The items in your portfolio demonstrate that you can communicate your ideas in French.				
4. The items in your portfolio demonstrate accurate use of French.				
5. The items in your portfolio show that you understand and can use a wide variety of French vocabulary.				
6. When creating the items in my portfolio, you have tried to use what you have learned in new ways.				
7. The items in your portfolio provide an accurate picture of your skills and abilities in French.				

The item I like best in your portfolio is _____

because (please give at least three reasons) _____

_____

One area in which you seem to need improvement is _____

_____

For your next portfolio collection, I would like to suggest _____

_____

I find your portfolio to be (check one):

☐ Excellent   ☐ Good   ☐ Satisfactory   ☐ Unsatisfactory

Picture Sequences
Assessment

Retour de vacances

CHAPITRE **1**

Create a brief conversation that will match the set of drawings below.

1.

2.

3.

4.

6.

6.

Le monde du travail

Create a brief monologue that will match the set of drawings below.

1.

2.

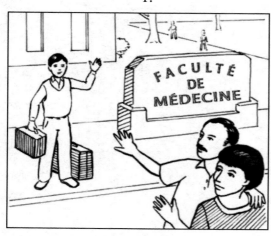

3.

4.

5.

6.

Il était une fois...

Create a brief story that will match the set of drawings below.

1.

2.

3.

4.

5.

6.

Amours et amitiés

Create a brief conversation that will match the set of drawings below.

1.

2.

3.

4.

5.

6.

En pleine nature

Create a brief conversation that will match the set of drawings below.

1.

2.

3.

4.

5.

6.

La presse

Create a brief conversation that will match the set of drawings below.

1.

2.

3.

4.

5.

6.

Notre planète

Create a brief conversation that will match the set of drawings below.

1.

2.

3.

4.

5.

6.

La société

Create a brief conversation that will match the set of drawings below.

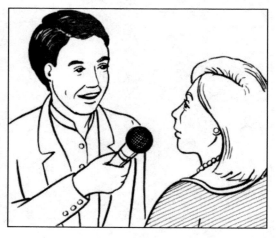

1.

2.

3.

4.

5.

6.

L'art en fête

Create a brief conversation that will match the set of drawings below.

1.

2.

3.

4.

5.

6.

Bon voyage!

Create a brief conversation that will match the set of drawings below.

1.

2.

3.

4.

5.

6.

Portfolio
Suggestions

Retour de vacances

CHAPITRE **1**

Written Activity

TASK Students write a journal entry describing the first week of classes, what they're studying and how well they think they're going to like each subject.

PURPOSE to express likes and dislikes, to tell where and how often they did something

ACTIVITY Tell students to imagine that they have just completed their first week at school. Have them write a journal entry about their experiences. Students should describe the different classes they are taking and how well they think they're going to like each subject. Students should also describe what activities they plan to do in addition to their classes.

MATERIALS paper, pen or pencil

Oral Activity

TASK Students role-play a conversation between two classmates.

PURPOSE to talk about what they did last summer, including when and how often they did it. They should also describe the places they visited.

ACTIVITY Have students role-play a scene in which two classmates who haven't seen each other all summer talk about what they did, when and how often they did it, and describe any places they visited.

MATERIALS (optional) two telephones, audio or video recording equipment

Le monde du travail

Written Activity

TASK Students write a formal letter to a company they'd like to do an internship with.

PURPOSE to write a formal letter, to make polite requests and to talk about future plans

ACTIVITY Tell students to imagine that they are planning ahead to next summer and want to make the most of it by interning in a company that's related to their field of interest. Students should use formal letter vocabulary to introduce themselves and explain why they are interested in doing an internship.

MATERIALS paper, pen or pencil

Oral Activity

TASK Students role-play a telephone conversation about doing an internship.

PURPOSE to make a phone call and to respond, to make polite requests, to talk about future plans and to respond.

ACTIVITY Have students role-play a scene in which one of them calls and asks to speak to someone about an internship. The person who answers then passes the call to the relevant person at the company. The conversation is about the student's skills and ambitions, and the company's needs and specializations.

MATERIALS (optional) three telephones, audio or video recording equipment

Il était une fois...

CHAPITRE **3**

PORTFOLIO SUGGESTIONS

Written Activity

TASK Students write a story in the style of a fable or legend.

PURPOSE to set the scene for, continue and end a story with traditional structures.

ACTIVITY Tell students to imagine a story and to set it in the framework of a fable or legend. Apart from that, the story can be about anything they like.

MATERIALS paper, pen or pencil

Oral Activity

TASK Students give a brief history of one French-speaking African country.

PURPOSE to narrate a sequence of events, to tell what happened to someone else.

ACTIVITY Have students report a brief history of one French-speaking African country. They should include important events such as settlement and government by outsiders, native rebellions and winning independence. They should conclude by saying what the country is like today.

MATERIALS (optional) map of the country, audio or video recording equipment

Amours et amitiés

Written Activity

TASK Students write a letter to a trusted friend about a choice they're having a hard time making.

PURPOSE to present a problem and ask for advice

ACTIVITY Tell students to imagine that they have a difficult choice or situation in their lives and they're seeking the advice of a trusted friend. Students should tell their friend what happened or is happening clearly and in detail, and then they should ask what their friend would do in their place.

MATERIALS paper, pen or pencil

Oral Activity

TASK Students role-play a multi-way conversation at a family gathering, each student taking the role of a different family member.

PURPOSE to greet each other, to ask about each other's news/life events, to inquire about absent members, to express their reactions to the news

ACTIVITY Have students role-play a scene in which members of an extended family (or, alternatively, a group of friends) are together for a special occasion. Most of them have not seen each other since the last such gathering. Each student should invent news and life events for their characters, so that they can respond to the prompting of the other family members. Students should react appropriately to each student's news. In addition, 'absent' friends or family members should be mentioned and speculated about.

MATERIALS (optional) space to stand in, table and chairs

En pleine nature

Written Activity

TASK Students write about encountering wildlife and how they reacted.

PURPOSE to express astonishment/fear, to use the subjunctive, to forbid and give warning, to use the imperative, to use flora/fauna vocabulary

ACTIVITY Tell students to describe the animal(s) and their reaction: were they interested? Afraid? If they cannot draw on experience, they may write a detailed fictional account. These accounts should end with a general warning (or recommendation) to the reader about how to behave in such situations.

MATERIALS paper, pen or pencil

Oral Activity

TASK Students role-play a scenario in which a lost pair of hikers comes across a larger group who tell them how to get back to the trail's end.

PURPOSE to complain and offer encouragement, to use adventure sports vocabulary and give general directions

ACTIVITY Have students role-play a scene in which a pair of hikers who are lost, tired and discouraged are standing on a riverbank, looking at their compass and arguing about how to get to the trail's end. They come across a larger group on a rafting trip who have been here before and know the trail well. The group encourages the lost hikers by saying it's not far and is easy to reach by simply following the river eastward. The lost hikers cheer up and ask a few questions about rafting before heading off again.

MATERIALS (optional) audio or video recording equipment

La presse

Written Activity

TASK Students write an article about a topic of their choice.

PURPOSE to use press vocabulary, to break news, to express certainty and possibility

ACTIVITY Tell students to write an article about anything that interests them: an election, the weather, an accident, the economy, a demonstration, a cultural or sporting event, a visiting dignitary, and so on. They should provide details: who, what, when, where, how and why. Quotes from those involved or from observers should be included where appropriate.

MATERIALS paper, pen or pencil

Oral Activity

TASK Students role-play a scenario in which a group of friends is sitting in a café, talking about a news item that some of them have heard nothing about, and some of them have heard something about, but no one has the whole story yet.

PURPOSE to break news, to express doubt and disbelief, to ask about information

ACTIVITY Have students take turns asking and telling each other what they heard and where, and what they speculate the rest of the story is. Students should disagree or correct each other's versions of the story until a more cohesive and plausible story is constructed out of the partial stories that each one brings to the table.

MATERIALS (optional) newspaper or magazine, audio or video recording equipment

Notre planète

Written Activity

TASK Students write an account of a civilization that disappeared because of a natural phenomenon.

PURPOSE to caution, to tell why something happened (cause and effect), to use the vocabulary of natural phenomena, to use the passive voice

ACTIVITY Tell students to write a story about a civilization that disappeared because of a natural phenomenon, in the manner of Pompeii. If they know about a documented or legendary instance, encourage them to write about it, and if not, encourage them to invent one.

MATERIALS paper, pen or pencil

Oral Activity

TASK Students role-play a press conference about environmental measures in the not-too-distant future

PURPOSE to caution, to make predictions and express assumptions, and to use the vocabulary of environmental issues and the subjunctive after conjunctions

ACTIVITY Have students perform a press conference in which the public is being ordered to comply with new conservationist measures to slow down the greenhouse effect. These mandatory measures will be enforced by a special unit (comparable to Homeland Security). Two students should play spokespeople, who support each other's statements, and other students should play reporters asking for clarification.

MATERIALS (optional) stand, audio or video recording equipment

La société

Written Activity

TASK Students write a piece urging his/her peers to vote for the opposition party.

PURPOSE to express a point of view, to use electoral vocabulary, to speculate about what happened

ACTIVITY Tell students to write a piece urging his/her peers to vote in upcoming elections. Students should emphasize the right to vote and the duty that comes with it, as well as speculate that the reason the opposition party didn't win last time is that not enough young people bothered to vote.

MATERIALS paper, pen or pencil

Oral Activity

TASK Students role-play a conversation with a police officer about a traffic violation.

PURPOSE to ask for and give assistance, to to express a point of view, to use public service vocabulary

ACTIVITY Have students act out a conversation between an American tourist who has committed a minor traffic violation (for example, a broken taillight) while driving a rental car in France, and a French police officer who's pulled him/her over. The violation is minor, but the driver doesn't have the necessary papers on him/her (passport, license), so the police officer fines him/her and tells him/her how to pay the fine. If desired, the conversation can continue with the driver arguing with the police officer about the fine, or speaking with a civil servant while paying the fine.

MATERIALS (optional) audio or video recording equipment

L'art en fête

PORTFOLIO SUGGESTIONS

Written Activity

TASK Students write a review of any kind of performing art they choose.

PURPOSE to give opinions, to give an impression, to use arts vocabulary

ACTIVITY Tell students to write a review of a performance. It can be one they've actually seen or not. They should use as much arts-specific vocabulary as they can, as well as opinion phrases, verbal adjectives and comparative/superlatives, and support their opinions with details.

MATERIALS paper, pen or pencil

Oral Activity

TASK Students role-play a conversation among art students about a group exhibition they're preparing.

PURPOSE to ask for and give opinions, to introduce and change a topic of conversation, to make suggestions and recommendations, to use arts vocabulary

ACTIVITY Students should express strong opinions, and suggestions/ recommendations about what they want the show to be like. Emphasis on arts vocabulary including tools, techniques and genres, as well as opinion phrases, verbal adjectives and comparative/suplerative.

MATERIALS (optional) audio or video recording equipment

Written Activity

TASK Students write an entry for a travel guidebook.

PURPOSE to give information and clarification, to remind and reassure, to use air travel vocabulary

ACTIVITY Tell students to write a passage about air travel, addressing the younger, less-experienced traveler. Students should include detailed information about getting around the airport, checking in, boarding and customs procedures.

MATERIALS paper, pen or pencil

Oral Activity

TASK Students role-play a conversation between a driver and an auto mechanic.

PURPOSE to ask for and give information and clarifications, to remind and reassure, to ask for and give help, to ask for directions and to use automotive vocabulary.

ACTIVITY Students should act out a conversation between a driver with automotive trouble (flat tire, transmission, taillight, brakes, clutch or engine) in a rental car, and a mechanic. The driver should tell the mechanic how the car is behaving, and the mechanic should decide what to take a look at and then give a simple diagnosis. The mechanic should then tell the driver that the problem is resolved, and the driver should ask for directions once he/she gets back behind the wheel.

MATERIALS (optional) audio or video recording equipment

Performance
Assessment

Retour de vacances

Vocabulaire 1/Grammaire 1

ORAL ASSESSMENT Have students role-play a phone conversation between two friends who are planning their schedules for the new school year. They should ask each other questions, and respond, about choosing classes and which activities they want to do.

WRITTEN ASSESSMENT Have students write a letter to a foreign penpal about school. They should include what classes they like, what classes they dislike, and what they prefer to do after school. At the end of the letter, they should encourage their penpal to respond in kind.

Vocabulaire 2/Grammaire 2

ORAL ASSESSMENT Have students role-play a conversation between two classmates who haven't seen each other all summer. They should discuss what they did during vacation: where they went, what it was like there and what activities they did. They should include how often they did those things, and describe the places they visited or stayed.

WRITTEN ASSESSMENT Have students write a journal entry about what they did yesterday. Their narrative should include as many different reflexive verbs as possible.

Révisions

ORAL ASSESSMENT Have students role-play a scene between a 'student' and an 'English teacher.' The 'teacher' is asking about the 'student's' trip to America last summer. The 'student' should tell the 'teacher' all about his/her trip to America, including speaking English every day, and going to different places. The 'teacher' should also ask the 'student' what his/her plans are for next summer, and the 'student' should respond. Have students switch roles.

Le monde du travail

Vocabulaire 1/Grammaire 1

ORAL ASSESSMENT Have students work with a partner who will pretend to be their guidance counselor. Each student should tell the counselor about his or her goals and plans for the future, and the counselor gives advice about how to achieve them.

WRITTEN ASSESSMENT Have students write a paragraph describing what would be the ideal profession for them. They should write about the type of work they would do, their work environment, the schedule they would like to have, etc.

Vocabulaire 2/Grammaire 2

ORAL ASSESSMENT Have students role-play a phone conversation. One student calls an office in search of an internship. The other student is the receptionist. The first student asks to speak with a certain person, and the receptionist tries that extension and puts the call through to that person (student 3). Then the conversation begins. The first student asks the third student whether they can do an internship next summer, and the third student responds by asking the first student about himself/herself, before making a decision.

WRITTEN ASSESSMENT Have students create an employment ad for a business of their choice. They must mention what they are looking for in the candidates, if it is a full-time or a part-time job, and where to send their résumé.

Révisions

ORAL ASSESSMENT Have students talk about their plans for the future. If they don't have any, ask them to fantasize about their dream job. They should go into some detail about what they will do, what qualifies them for that job, or what they would do if they could, or what they hope will have happened by that time (conditional, future and future perfect).

Il était une fois...

PERFORMANCE ASSESSMENT

Vocabulaire 1/Grammaire 1

ORAL ASSESSMENT Have students take turns telling stories. They can use the **imparfait** or **passé composé.** They should use at least three relative pronouns with **ce** in telling their stories (e.g. "**Ce que le sultan ne savait pas, c'est que le vizir intriguait contre lui**"). They should end their stories with a moral.

WRITTEN ASSESSMENT Have students write a traditional story: a fable, legend or fairy tale. They should employ the set phrases to set the scene and continue or conclude the action and end their stories with a moral.

Vocabulaire 2/Grammaire 2

ORAL ASSESSMENT Have students role-play a conversation about a third person they both know who's just gone through something difficult. They should talk about a sequence of events and use indirect discourse to relay what they heard about that person.

WRITTEN ASSESSMENT Have students research and recount a series of historical events that happened in a French-speaking country in Africa. They should use the vocabulary of exploration, colonialism, and revolt.

Révisions

ORAL ASSESSMENT Have groups of students create a fairy tale story. The first student begins the fairy tale with a sentence and starts the second one. The second student finishes the sentence and starts the next one. Have another student write the sentences. Once all the students have contributed a sentence to the fairy tale, call on a volunteer to share the group's story with the class.

Amours et amitiés

Vocabulaire 1/Grammaire 1

ORAL ASSESSMENT Have students role-play a phone conversation between two friends where they are talking about their other friends' recent breakup and why it happened. Students should relay what they heard, and say whether they believe it or not, and if not, what they think really happened. They should also speculate on how things could have gone differently between those friends.

WRITTEN ASSESSMENT Have students write a journal entry about a fight they have just had with their best friend. They should relate what happened, and also address whether they want to repair the friendship.

Vocabulaire 2/Grammaire 2

ORAL ASSESSMENT Have students role-play a conversation between a parent and child who's away at school. The 'parent' should express emotions: missing the child, worrying about them, and asking when they will be home next for vacations/holidays. The 'child' should respond in kind, talking about any constraints or obstacles in going home, and/or their desire to go home. The conversation should end with a decision about the child's visit.

WRITTEN ASSESSMENT Have students write a journal entry about what they need, wish for and hope for. If that seems too personal, they can write from the point of view of someone else. The purpose is to use the subjunctive with necessity, desire and emotions.

Révisions

ORAL ASSESSMENT Have students role-play a scene in which two members of the family (a teen boy/girl and his/her cousin) are standing in the kitchen alone during a big family gathering, talking about other members of the family. They can ask and respond about their own and other family members' good or bad news, as well as who's making them angry, who they're glad to see, and so on.

En pleine nature

Vocabulaire 1/Grammaire 1

ORAL ASSESSMENT Have students role-play a conversation in which two to four hikers return to their campsite to find bears going through their tent. They should express their astonishment and fear, warn each other to stay back, and say what the bears might do. They should decide whether they're going to go for help, try to frighten the bears away, or do something else.

WRITTEN ASSESSMENT Have students write guidelines for a nature preserve. They should include warnings about the wildlife and certain features of the park, and instructions on how to behave while in the park.

Vocabulaire 2/Grammaire 2

ORAL ASSESSMENT Have students role-play a conversation between two friends engaging in an adventure sport (hiking, rafting, scuba diving, etc.). One is tired/scared/discouraged, and the other is encouraging them to keep going, that they're not lost and are almost at their destination, or that there's a really great view just a little farther on, and so on. Then have the students switch roles.

WRITTEN ASSESSMENT Have students write a journal from their campsite. They should describe how difficult the day was. Have them write about what they didn't bring and should have, or who they brought along and wish they hadn't; where they got lost; and when/why they felt as if they couldn't go on. They should conclude with a statement about hoping that tomorrow goes better.

Révisions

ORAL ASSESSMENT Have students role-play that one is a guide and the others are along on a hiking trip through a very large nature preserve. The guide should warn them about possible hazards, and the others should express surprise or fear about the guide's comments. The guide should reassure them that, if they are careful, all should go well. The guide should also try to give the others a sense of where they are in relation to the campsite and other features. Have the students take turns playing the guide, as much as possible.

La presse

Vocabulaire 1/Grammaire 1

ORAL ASSESSMENT Have students ask each other where they go to buy their favorite magazine or newspaper or if they have a subscription. Students should also ask if the front cover of a magazine has any kind of impact on their decision to buy a magazine, and if they can remember a cover that really caught their attention and which one was it.

WRITTEN ASSESSMENT Have students write about their preferences about the press. Students should write about how they get informed everyday, if they like to read weekly magazines better than daily newspaper and why.

Vocabulaire 2/Grammaire 2

ORAL ASSESSMENT Have students to work in small groups, Ask them to imagine that they are reading the newspaper with their family. Students should ask each other to pass the different section of the newspaper and explain why they prefer or need that section. As another student passes the requested item, he or she should give an opinion about that section of the newspaper.

WRITTEN ASSESSMENT Have students write a piece in a section of the paper. They can choose the section or you can assign it. The piece should be suited to the style of that section, be it a classified ad, a weather report, a news article, a column, a review or letters to the Editor.

Révisions

ORAL ASSESSMENT Give half the students one French news article and the other half another one. Then take one student from each half, and have the two conduct a conversation in which one of the students starts out with **"Qu'est-ce qui se passe?"** and the other student gives him/her just a little bit of information at a time. The first student has to ask as many questions as it takes to get the whole story from the second student. Have them switch roles when they're done.

Notre planète

PERFORMANCE ASSESSMENT

Vocabulaire 1/Grammaire 1

ORAL ASSESSMENT Have students role-play a conversation in which they are discussing the weather forecast and whether or not to go on their planned camping trip in spite of the prediction of heavy rainstorms. Student #1 should caution Student #2 about what can happen in a heavy rainstorm (lightning, hail, landslide, flood, etc.). If Student #2 isn't convinced, Student #1 should talk about a specific instance he saw where damage was done by such a storm. The students should reach a decision about whether to go.

WRITTEN ASSESSMENT Have students write a short piece about natural phenomena that cause or are caused by other events. The use of the active and passive voices should be emphasized. In addition, students should state which of those natural phenomena they find less, more, or most dangerous.

Vocabulaire 2/Grammaire 2

ORAL ASSESSMENT Have students talk about what they do as a habit to reduce waste in their lives – recycling, choosing transportation, eating organic foods, etc.

WRITTEN ASSESSMENT Have students write an essay about what they think can be done about the environment. They should include specific measures as well as predictions about how those measures will help matters.

Révisions

ORAL ASSESSMENT Have students role-play a debate (4 to 5 students) on environmental issues. They should talk about environmentally destructive practices, and how those might be related to changes in the environment. Then they should discuss what can be done to reduce the problem.

La société

Vocabulaire 1/Grammaire 1

ORAL ASSESSMENT Have students role-play a group conversation in which they are sitting in a café after having voted in an election. There are two fictional candidates: the one who already holds a seat, and the opposition. Each student should decide which candidate they agree with, which candidate they think will win, and what they've heard about who's ahead in the race.

WRITTEN ASSESSMENT Have students write an article containing quoted reactions from people at a demonstration against the prime minister, whom they want to resign. Why don't these demonstrators like him? What do they think he has done? Do they think he will resign? Students should emphasize points of view, speculation and the past subjunctive.

Vocabulaire 2/Grammaire 2

ORAL ASSESSMENT Have students role-play a conversation at the police station. Student #1 has just had his/her backpack stolen. Student #2 asks Student #1 a few key questions about when and where it happened, and what valuable items were in the pack. Then Student #2 asks Student #1 to fill out a report, and reminds him/her to sign it.

WRITTEN ASSESSMENT Have students write a phone conversation between themselves and a civil servant from the city hall of Monte Carlo. In the conversation, students should explain that they have lost their passport while visiting, and ask what they need to do to have it replaced. They should also include the civil servant's response.

Révisions

ORAL ASSESSMENT Have students say what they would do if something bad happened to them while traveling abroad: possibilities include theft, accident or illness. Emphasis is on the conditional and on public service vocabulary.

L'art en fête

PERFORMANCE ASSESSMENT

Vocabulaire 1/Grammaire 1

ORAL ASSESSMENT Have students role-play a group conversation in which they are at a museum, looking at paintings. They should argue about what genre each belongs to, and which ones are any good. They should use verbal adjectives when appropriate. They should also use **'Si!'** at least once in the discussion.

WRITTEN ASSESSMENT Have students imagine they are interviewing a famous artist. Students should write the interview questions first and then write the artist's responses. The interview should ask the artist about several topics, and use expressions to change the topic of conversation.

Vocabulaire 2/Grammaire 2

ORAL ASSESSMENT Have students role-play a conversation among a group of friends who have just attended a musical concert and are animatedly discussing what they thought of it – whether it was better or worse than they expected, or the best or worst concert they ever heard.

WRITTEN ASSESSMENT Have students write a review of a play their school is putting on. Students should not only review the performances, but also make suggestions and recommendations for improving the show.

Révisions

ORAL ASSESSMENT Have students talk about the finest performance they ever saw – it can be dance, music, theater or a combination. Students should try to give an impression of the performance by describing it in some detail.

Bon voyage!

Vocabulaire 1/Grammaire 1

ORAL ASSESSMENT Have students role-play a conversation between a passenger whose flight has been delayed and the airline's gate agent. They should discuss the destination, estimated departure time, whether the passenger has a boarding pass, when and where the passenger's connecting flight leaves, and so on. The conversation should include discussion of seating, and should end with the gate agent reassuring the passenger that he/she will make the connecting flight.

WRITTEN ASSESSMENT Have students write a summary of their travels so far. Where have they gone? Students should use the adverbs **déjà, encore, toujours** and **jamais** as appropriate. They should also use the subjunctive to discuss where they want to visit next.

Vocabulaire 2/Grammaire 2

ORAL ASSESSMENT Students should role-play a conversation between a traveler and a car rental agent. The traveler wants to rent a car with certain features, and the agent replies as to whether or not he/she has any cars with those features. Once the passenger has decided on a car to rent, he/she asks the agent for directions to a certain location, which the agent gives.

WRITTEN ASSESSMENT Have students write a journal entry about renting a car and running out of gas in an inconvenient location. They should add that by the time they figured out they hadn't put enough in the tank, they had already passed the last service station, or something similar. Students should end the passage by saying what they will do differently the next day. (**Plus-que-parfait** and future tenses)

Révisions

ORAL ASSESSMENT Have students give you some practical information about taking a road trip – what to bring, what to know about the car, where to ask for directions, what kinds of things can go wrong and how to react.

Diagnostic
Exams and Rubrics

To the Teacher

Evaluating Core Language Knowledge and Skills

The **Évaluation** section of the *Assessment Program* provides you with a diagnostic tool to assess gaps in core language knowledge and skills.

Level 1 teachers may administer the **Évaluation** exams to students at any point during the school year to assess their knowledge of core Level 1 vocabulary and grammar structures. This assessment would be particularly useful for transfer students or for students with extended absences.

There are two **Évaluation** exams. **Évaluation: Chapitres 1–5** tests key vocabulary and grammar from the first semester of Level 1. **Évaluation: Chapitres 6–10** includes key vocabulary and grammar from the entire year but targets the second semester of Level 1.

Each **Évaluation** has five sections. Each section has its own rubric.

Écoutons Items 1–6 target general listening comprehension.

Vocabulaire Activities 7–18 target specific vocabulary topics. Each topic is listed in the Vocabulary rubric.

Grammaire Activities 19–35 target specific grammar topics. Each topic is listed in the Grammar rubric.

Écrivons Activity 36 is an open-ended writing activity structured to elicit level-appropriate vocabulary and grammar structures.

Parlons Items 37–40 are open-ended speaking prompts structured to elicit level-appropriate vocabulary and grammar structures.

The **Évaluation** exams are modular: each section can be administered separately and combined depending on your needs. If you had to test many students in a 50-minute class period, you would administer the multiple choice **Écoutons, Vocabulaire,** and **Grammaire** sections only.

To do a thorough evaluation of a student's language knowledge and skills, you would include the **Écrivons** and **Parlons** activities. The Writing and Speaking rubrics are tailored to each exam activity. These include the vocabulary and grammar necessary for answering each of the activity prompts.

Using the Rubrics

The Listening Comprehension Rubric that follows the script for each **Evaluation** can be used to assess general listening comprehension abilities based on level-appropriate expressions and structures. A score of **1** indicates a need for remediation practice with listening activities.

Listening Comprehension Rubric

	Correct Answers	Evaluation
3	5 – 6 (out of 6)	Student understands all or most of what he or she hears on a variety of topics.
2	3 – 4 (out of 6)	Student understands about half of what he or she hears on a variety of topics.
1	1 – 2 (out of 6)	Student understands little or nothing of what he or she hears on a variety of topics.

The Vocabulary and Grammar Rubrics correlate multiple choice items 7-35 of each **Evaluation** with specific vocabulary and grammar topics. By recording on the rubrics charts which exam items were answered incorrectly, you can pinpoint core language areas that have not been mastered. Using the rubrics on pages 389-390 for **Évaluation: Chapitres 1–5** and 401-402 for **Évaluation: Chapitres 6–10**, you can tailor lessons to the topics students missed the most.

Vocabulary Rubric

Incorrect Answers (record answers missed)	Exam Item	Corresponding Vocabulary Topic
	7	**Topic 1** Family
	8	**Topic 2** Describing people
	9	**Topic 3** After-school activities, Sports, Hobbies

Grammar Rubric

Incorrect Answers (record answers missed)	Exam Item	Corresponding Grammar Concept
	19, 20	**Topic 1** Être and avoirThe verbs **être** and **avoir**
	21	**Topic 2** –er verbs

The Writing and Speaking Rubrics on pages 391–392 for **Évaluation: Chapitres 1–5** and 403–404 for **Évaluation: Chapitres 6–10** provide specific guidelines for evaluating structured speaking and writing responses. These are based on a range of **4** (best) to **1** (worst). The structured speaking and writing prompts should elicit core level-appropriate language and provide a well-rounded representation of a student's language abilities.

Writing Rubric

	Grammar and Structure (comprehensibility due to correct grammar and sentence structure)	Vocabulary and Content (comprehensibility due to appropriate vocabulary and expressions)	Effort (comprehensibility due to quantity and variety of ways of addressing topic)	Organization and Mechanics (comprehensibility/ effective communication due to spelling, punctuation, and overall organization)
4	Grammar and sentence structure is accurate; auxiliary choice and past participle agreement in the **passé composé** is correct; correct use of the **imparfait**. conditional, future, and subjunctive.	Uses necessary vocabulary and expressions for the topic (things to do to prepare for a trip, childhood activities, camping, health, television, books, and music).	May not know target vocabulary but uses circumlocution and description to completely address the topic.	Few spelling and punctuation errors; well-developed ideas; logical organization; no interference with comprehensibility.

Speaking Rubric

	Grammar and Structure (comprehensibility due to correct grammar and sentence structure)	Vocabulary and Content (comprehensibility due to appropriate vocabulary and expressions)	Effort (comprehensibility due to quantity and variety of ways of addressing topic)	Fluency and Pronunciation (comprehensibility/ effective communication due to speech)
4	Grammar and sentence structure is accurate; conjugation of verbs is correct; prepositions are used correctly.	Uses necessary vocabulary and expressions for the topics (childhood activities, camping, nature, health, televisions, books, movies, vacations).	Uses circumlocution and description to completely address the topics.	Very few minor errors; smooth speech; no interference with comprehensibility.

Teachers using these diagnostic tools will be able to meet the diverse needs of their students quickly and effectively.

Évaluation: Chapitres 1–5

Écoutons

Listen to each conversation or narration. Then choose the answer that best tells what each one is about.

_____ 1.

_____ 2.

_____ 3.

_____ 4.

_____ 5.

_____ 6.

a. complaining and offering encouragement
b. vacation plans
c. a telephone conversation
d. asking for advice
e. telling someone not to do something
f. telling a story

Vocabulaire

_____ 7. Yannick has science classes in the morning, lunch at noon, and gym in the afternoon. Where would he be at 10 A.M., noon, and 2:30 P.M.?
   a. au CDI, à la cantine, au laboratoire
   b. au laboratoire, au CDI, au cinéma
   c. au laboratoire, à la cantine, dans la salle de musique
   d. au laboratoire, au CDI, au complexe sportif

_____ 8. If you're going scuba-diving, which piece of equipment will you need?
   a. un gilet de sauvetage
   b. un masque de plongée
   c. une boussole
   d. une lampe de poche

_____ 9. Aurélie loves books. Which of the following careers would she be *least* likely to like?
   a. documentaliste
   b. libraire
   c. professeur
   d. pharmacienne

_____ 10. Which sentence should not appear in a formal business letter?
   a. Est-ce que tu as besoin d'un secrétaire pour l'été?
   b. J'aimerais faire un stage dans votre compagnie.
   c. Je voudrais venir me présenter en personne.
   d. Ci-joint mon curriculum vitæ.

_____11. You're phoning an office about an internship but the person you want to speak with is not in. What are you most likely to be told?

    a. Il n'est pas là aujourd'hui, voulez-vous laisser un message?

    b. Il n'a pas le temps de vous parler.

    c. La ligne est occupée, pouvez-vous rappeler?

    d. Ne quittez pas, monsieur, je vous le passe.

_____12. Choose the logical sequence.

    Il était une fois, une princesse prisonnière dans une tour qui...

    a. téléphona au sorcier pour qu'il l'aide.

    b. donnait des leçons d'informatique.

    c. faisait des films sur des monstres.

    d. attendait qu'un chevalier vienne la délivrer.

_____13. Which item would be first in the sequence?

    a. Finalement, la révolution a éclaté.

    b. En 1731, une colonie a été établie.

    c. La colonie a connu la paix pendant une certaine période.

    d. Quelque temps après, elle a demandé son indépendance.

_____14. Which item would be last in the sequence?

    a. Je suis né le jour de leur premier anniversaire de mariage.

    b. Mon père a fait des études de physique.

    c. Ma mère a rencontré mon père au laboratoire où ils travaillaient.

    d. Ils se sont mariés le 3 juin 1990.

_____15. Which of the following items is *not* about two friends having a conflict?

    a. Je ne l'ai pas revu depuis qu'il m'a vexé.

    b. Figure-toi qu'elle refuse de me parler!

    c. Il me plaît beaucoup, mais je ne sais pas quoi lui dire.

    d. Je trouve qu'on a bien fait de se quitter.

_____16. Which pair does *not* go together?

    a. le requin: la mer

    b. le sanglier: la forêt

    c. le pélican: la grotte

    d. l'écrevisse: le bayou

ÉVALUATION: CHAPITRES 1–5

_____17. Didier hasn't studied for the exam, so he wants to sit next to his brainy
friend Félix. But Félix isn't having any of it. What is he most likely to
say?
a. Si j'étais toi, je ferais la même chose.
b. Jamais de la vie! Pour qui me prends-tu?
c. Je ne sais vraiment pas ce que je ferais à ta place.
d. Oui, tu ferais mieux de t'asseoir derrière moi.

_____18. How would you say that the church is very close to your house?
a. L'église n'est pas trop loin de chez moi.
b. L'église est au sud de la ville.
c. L'église est dans le nord de la ville.
d. L'église est à environ 50 mètres de chez moi.

Grammaire

_____19. Complete the sentence: **je n'y _____ pas, mais toi, tu y _____?**
a. crois / croies
b. crois / crois
c. croyait / croyais
d. cru / croire

_____20. Who's speaking in the present tense?
a. Je me sens beaucoup mieux.
b. Je vais faire la sieste.
c. J'aurais aimé venir, merci.
d. Je n'aurai pas le temps de m'habiller.

_____21. Complete the sentence.
Je _____ le chien quand j'_____ un bruit.
a. promené / entendu
b. promènes / entendais
c. promenais / ai entendu
d. promenais / entendais

_____22. Complete the sentence.
Je sortirai quand j'_____ mes devoirs.
a. aurai fini
b. aurais fini
c. ai fini
d. finirai

_____23. Which of the following can Marie *not* be?

    a. vendeur

    b. informaticienne

    c. infirmière

    d. fonctionnaire

_____24. Which sentence is in the **passé simple**?

    a. La princesse détestait son beau-père.

    b. On disait que les ogres mangaient beaucoup.

    c. Le magicien a prononcé un sort.

    d. Le chevalier arriva et libéra le prisonnier.

_____25. Complete the sentence.

    Si je/j'_____ que c'était ton anniversaire, je/j'_____ fait un gâteau.

    a. savais, aurais

    b. ai su, avais

    c. saurai, aurai

    d. avais su, aurais

_____26. Complete the sentence.

    J'ai entendu dire que...

    a. Jeanne a 20 à l'examen.

    b. Jeanne avait eu 20 à l'examen.

    c. Jeanne aurait 20 à l'examen.

    d. Jeanne aura eu 20 à l'examen.

_____27. Complete the sentence.

    _____ le professeur a parlé, c'est de l'économie.

    a. Ce que

    b. Ce qui

    c. Ce dont

    d. Celle qui

_____28. Which of the following is *not* a reciprocal verb?

    a. Nous nous sommes quittés.

    b. Je me suis baigné.

    c. On s'est dit mille et une choses.

    d. Vous vous voyez souvent?

_____29. Complete the sentence.

    Si j'avais été toi, ...

    a. je partirais tout de suite.

    b. je partais tout de suite.

    c. je pars tout de suite.

    d. je serais parti tout de suite.

ÉVALUATION: CHAPITRES 1–5

_____30. Complete the sentence.

Avant de partir en vacances, il veut _____ ce travail.
a. terminé
b. terminait
c. avoir terminé
d. aura terminé

_____31. Complete the sentence.

_____-moi la main.
a. Donné
b. Donnes
c. Donne
d. Donner

_____32. Complete the sentence.

Arrête _____ si mal!
a. jouer
b. à jouer
c. de jouer
d. de jeux

_____33. Which of the following descriptions does *not* make sense?
a. l'homme grand
b. l'ancienne danseuse
c. la bonne réponse
d. le professeur ancien

_____34. Complete the sentence.

Je veux que ça _____!
a. est fini
b. finisse
c. finira
d. sera fini

_____35. Complete the sentence.

Je crains qu'il ne _____ pas où il va.
a. sait
b. savait
c. sache
d. saurait

ÉVALUATION: CHAPITRES 1–5

Écrivons

36. Last summer, you were biking in the mountains when you fell and hurt yourself. Luckily, your companions were quick to take you to the doctor. Write a summary of what happened, from your biking expedition to what the doctor told you.

_____

_____

_____

_____

_____

_____

_____

_____

_____

_____

_____

_____

_____

_____

Parlons

Respond to the following questions in French.

37. Qu'est-ce que tu as fait d'amusant pendant les vacances?

38. Si tu devais choisir un stage l'été prochain, que ferais-tu? Pourquoi?

39. Qu'est-ce que tu connais de la vie de tes parents? Que trouves-tu de spécial dans leur histoire?

40. Si tu devais donner un conseil à quelqu'un qui commence à étudier le français, que dirais-tu?

Answer Key: Évaluation Chapitres 1-5

Écoutons

1. b	4. d
2. c	5. e
3. f	6. a

Vocabulaire

7. d	13. b
8. b	14. a
9. d	15. c
10. a	16. c
11. a	17. b
12. d	18. d

Grammaire

19. b	28. b
20. a	29. d
21. c	30. c
22. b	31. c
23. a	32. c
24. d	33. d
25. d	34. b
26. b	35. c
27. c	

Écrivons

See the Writing Rubric on p. 391.

Sample answer: Rating 4

36. L'été dernier, je suis allé faire du VTT dans les montagnes avec des copains. Le troisième jour, on était partis très tôt et tout allait bien quand tout à coup on a vu un ours! J'ai eu peur et je suis tombé. J'ai cru que je m'étais cassé le bras. Mes copains m'ont tout de suite conduit chez le médecin du village. Après m'avoir vu, il m'a dit que ce n'était pas grave et que ça allait aller mieux. Etc.

Parlons

See the Writing Rubric on p. 392.

Scripts: Évaluation Chapitres 1–5

Écoutons

1. —Qu'est-ce que tu vas faire cet été?

   —Je vais faire un stage dans un musée. Et toi?

   —Moi, je vais voyager en Europe.

2. —Allô, est-ce que je pourrais parler à monsieur Montorgé, s'il vous plaît?

   —C'est de la part de qui?

   —Ah, bonjour, monsieur. Ici Micheline Dumas, votre fille Aurélie est dans ma classe.

3. —Il était une fois, dans un royaume près de la mer, une belle princesse prisonnière dans une tour. De sa fenêtre, elle ne voyait que des bateaux aller et venir et elle n'entendait que les vagues.

4. —Je veux prendre ma retraite, mais je n'ai pas envie de jouer au golf. Qu'est-ce que je dois faire, à ton avis?

   —Eh bien, papa, à ta place, je ferais le tour du monde à la voile.

5. —Écoutez, monsieur Albert, il est interdit de fumer dans l'infirmerie. Et puis si vous continuez comme ça, vous n'irez pas mieux.

6. —Je n'en peux plus! Quand est-ce qu'on va se reposer?

   —Allez, encore un petit effort! Nous y sommes presque!

Rubric for Evaluating Listening Comprehension

Listening Comprehension Rubric

	Correct Answers	Evaluation
3	5 – 6 (out of 6)	Student understands all or most of what he or she hears on a variety of topics.
2	3 – 4 (out of 6)	Student understands about half of what he or she hears on a variety of topics.
1	1 – 2 (out of 6)	Student understands little or nothing of what he or she hears on a variety of topics.

Rubrics: Évaluation Chapitres 1–5

Vocabulary Rubric

Incorrect Answers (record answers missed)	Exam Item	Corresponding Vocabulary Topic
	7	**Topic 1** Back to School
	8	**Topic 2** Pastimes, Hobbies and Sports
	9	**Topic 3** Plans for a Future Career or Profession
	10	**Topic 4** Formal Business Letters
	11	**Topic 5** Business Phone Conversations
	12	**Topic 6** Stories, Legends and Fables
	13	**Topic 7** Historical Events: Relating a Sequence of Events
	14	**Topic 8** Family and Life Events
	15	**Topic 9** Friendships and Conflicts
	16	**Topic 10** Wildlife and Nature
	17	**Topic 11** Asking for or Offering Help or Advice
	18	**Topic 12** Giving General Directions

RUBRICS: ÉVALUATION CHAPITRES 1–5

Grammar Rubric

Incorrect Answers (record answers missed)	Exam Item	Corresponding Grammar Concept
	19, 20	**Topic 1** Regular and Irregular Verbs in the **présent**
	21	**Topic 2** Using the **passé composé** and the **imparfait**
	22	**Topic 3** The **futur antérieur** with the Future Tense
	23	**Topic 4** People Nouns: Masculine and Feminine Forms
	24	**Topic 5** The **passé simple**
	25	**Topic 6** The **plus-que-parfait**
	26	**Topic 7** Sequence of Tenses in Indirect Discourse
	27	**Topic 8 Ce** with Relative Pronouns
	28	**Topic 9** Reciprocals and reflexives
	29	**Topic 10** Past Conditional and the Past Perfect
	30	**Topic 11** Past Infinitives
	31	**Topic 12** Imperatives
	32	**Topic 13** Verbs + **à/de** + infinitive
	33	**Topic 14** Adjective Placement and Meaning
	34, 35	**Topic 15** Subjunctive with Necessity, Desire, Fear and Emotions

RUBRICS: ÉVALUATION CHAPITRES 1–5

Writing Rubric

	Grammar and Structure (comprehensibility due to correct grammar and sentence structure)	Vocabulary and Content (comprehensibility due to appropriate vocabulary and expressions)	Effort (comprehensibility due to quantity and variety of ways of addressing topic)	Effort (comprehensibility due to quantity and variety of ways of addressing topic)	Organization and Mechanics (effective communication due to spelling, punctuation, and overall organization)
4	Uses basic grammar and the following correctly: **passé composé** vs **imparfait,** reflexive verbs in the past, past perfect, indirect discourse, past infinitive.	Uses necessary vocabulary and expressions to completely address the topic: exploration/sports, what you did last summer.	May not know target vocabulary but uses circumlocution and description to completely address the topic.	May not know target vocabulary but uses circumlocution and description to completely address the topic.	Few spelling and punctuation errors; well-developed ideas; logical organization; no interference with comprehensibility.
3	Shows command of basic grammar. Uses the following correctly most of the time: **passé composé** vs **imparfait,** reflexive verbs in the past. May or may not use the following correctly: past perfect, indirect discourse, past infinitive.	Uses necessary vocabulary and expressions for the topic with some mistakes in choice of expressions or vocabulary.	Uses circumlocution and description to address the topic fairly adequately.	Tries to use circumlocution and description to address the topic.	Some spelling and punctuation errors, but fairly well-developed ideas and logical organization; little interference with comprehensibility.
2	Does not show commands of: **passé composé** vs **imparfait,** reflexive verbs in the past. Shows some errors in basic grammar.	Uses only limited vocabulary and expressions for the topic; student makes many mistakes in choice of expressions or vocabulary.	Little effort: topic is only partially covered. Student uses limited expressions and vocabulary repeatedly.	Little effort, topic is only partially covered; student does not vary expressions and vocabulary used.	Many spelling and punctuation errors; ideas are not well developed; frequent lack of logic in organization; some interference with comprehensibility.
1	Little to no control of grammar or sentence structures with frequent errors. Student answers in sentence fragments or run-on sentences.	Poor vocabulary use with frequent interference from native language.	Very little effort, topic is not adequately covered. Student answers in one or two sentences or sentence fragments.	Very little effort, topic is not adequately covered; student has poor knowledge of relevant vocabulary and expressions.	Fragmented and disorganized; poor spelling and use of punctuation; poor comprehensibility.

RUBRICS: ÉVALUATION CHAPITRES 1–5

Speaking Rubric

	Grammar and Structure (comprehensibility due to correct grammar and sentence structure)	Vocabulary and Content (comprehensibility due to appropriate vocabulary and expressions)	Effort (comprehensibility due to quantity and variety of ways of addressing topic)	Fluency and Pronunciation (effective communication due to speech)
4	Uses basic grammar and the following correctly: **passé composé** vs **imparfait,** reflexive verbs in the past, past perfect, indirect discourse, past infinitive.	Uses necessary vocabulary and expressions to completely address the topic: exploration/sports, what you did last summer, giving advice, speaking about summer job, family life.	May not know target vocabulary but uses circumlocution and description to completely address the topic.	Very few minor errors; fluid speech without hesitation; no interference with comprehensibility.
3	Shows command of basic grammar. Uses the following correctly most of the time: **passé composé** vs **imparfait,** reflexive verbs in the past. May or may not use the following correctly: past perfect, indirect discourse, past infinitive.	Uses necessary vocabulary and expressions for the topic with some mistakes in choice of expressions or vocabulary.	Uses circumlocution and description to address the topic fairly adequately.	Some minor errors; a few pauses but fairly fluid speech; little interference with comprehensibility.
2	Does not show command of: **passé composé** vs **imparfait,** reflexive verbs in the past. Shows some errors in basic grammar.	Uses only limited vocabulary and expressions for the topic; student makes many mistakes in choice of expressions or vocabulary.	Little effort: topic is only partially covered. Student uses limited expressions and vocabulary repeatedly.	Regular pauses, pronunciation errors, and grammar and vocabulary mistakes sometimes interfere with comprehensibility.
1	Little to no control of grammar or sentence structures with frequent errors. Student answers in sentence fragments or run-on sentences.	Poor vocabulary use with frequent interference from native language.	Very little effort, topic is not adequately covered. Student answers in one or two sentences or sentence fragments.	Frequent pauses, pronunciation errors, and grammar and vocabulary mistakes interfere with comprehensibility.

Évaluation: Chapitres 6–10

Écoutons

Listen to each conversation. Then choose the answer that best tells what each one is about.

_____ 1.
_____ 2.
_____ 3.
_____ 4.
_____ 5.
_____ 6.

a. suggesting that someone do something else
b. speculating about what happened to someone
c. expressing doubt about something and being reassured
d. asking for directions
e. forgetting something and asking if there's time to get it
f. giving an opinion about a play

Vocabulaire

_____ 7. Which of the following shows the most likely cause and effect relationship?
a. un ouragan: un incendie
b. un tremblement de terre: un raz-de-marée
c. une inondation: la sécheresse
d. le tonnerre: un cyclone

_____ 8. Which of the following would *not* support the following opinion?
Il faut protéger la planète.
a. Prenez le métro au lieu de la voiture.
b. Mangez des produits biologiques.
c. Buvez deux litres d'eau par jour.
d. Faites recycler vos bouteilles.

_____ 9. Which of these is *not* a warning?
a. Méfie-toi des guêpes!
b. Fais moins de bruit!
c. Prends garde aux ours!
d. Fais attention!

_____ 10. Which statement would appear in the following section of the newspaper?
Les petites annonces
a. Ce week-end il y aura du soleil avec quelques nuages.
b. L'équipe de Marseille a vaincu Lyon 1 but à zéro.
c. Le premier ministre a démissionné hier après-midi.
d. À vendre, 2 chambres, climatisation, vue sur mer.

_____11. Which of these sentences is about breaking news?

    a. Tu connais la dernière?

    b. Ça s'est passé l'année dernière.

    c. C'est une vieille histoire.

    d. Il y a déjà longtemps de ça!

_____12. Complete the sentence.

    Le jour des élections, _____.

    a. les électeurs vont poser leur candidature.

    b. les électeurs vont voter.

    c. les candidats vont siéger au bureau de vote.

    d. les candidats vont élire.

_____13. Les pompiers _____.

    a. dressent le constat d'accident

    b. éteignent l'incendie

    c. emmènent les blessés aux urgences

    d. arrêtent le voleur

_____14. Which of the following would you *not* find in a painter's studio?

    a. une toile

    b. une palette

    c. un tour

    d. un modèle

_____15. Which item is *not* expressing a point of view?

    a. Ce n'est pas la bonne sortie.

    b. Ça ne me plaît pas.

    c. Ce n'est vraiment pas mon style.

    d. Ce n'est pas de l'art.

_____16. Where would you wait for your flight?

    a. au parking

    b. sur la piste

    c. dans la salle d'embarquement

    d. dans la tour de contrôle

_____17. How would you say that you don't know how to shift gears?
   a. Je ne sais pas comment me garer.
   b. Je ne sais pas comment changer de vitesse.
   c. Je ne sais pas changer un pneu.
   d. Je ne sais pas faire démarrer le moteur.

_____18. Which item is asking directions?
   a. Est-ce qu'il y a beaucoup de circulation?
   b. Comment peut-on rejoindre l'autoroute?
   c. Est-ce que l'autoroute est encore loin?
   d. Est-ce le chemin le plus rapide?

Grammaire

_____19. Complete the sentence.
   Je doute que _____ à l'heure.
   a. vous serez
   b. vous êtes
   c. vous soyez
   d. vous seriez

_____20. How would Jérôme say he has none of something?
   a. Je n'en ai pas.
   b. Il n'y en a que très peu.
   c. Il n'est nulle part.
   d. Personne n'en a.

_____21. Complete the sentence.
   J'ai _____ très _____ par ses idées.
   a. étais / déçue
   b. été / décevoir
   c. été / déçue
   d. étais / décevais

_____22. How would you say the water is colder than the air, but the ice is the coldest?
   a. L'eau est plus froide que l'air, mais la glace est froide.
   b. L'eau est plus froide que l'air, mais la glace est encore plus froide.
   c. L'eau est plus froide que l'air, et la glace n'est pas plus froide.
   d. L'eau est plus froide que l'air, mais la glace est la plus froide.

_____23. Complete the sentence.
   J'étais _____ avion quand j'ai vu le soleil se coucher _____ l'ouest.
   a. sur / à
   b. dans / sur
   c. en / sur
   d. en / à

_____24. Complete the sentence.

J'ai été content que tu _____ .

a. viens

b. sois venu

c. es venu

d. venais

_____25. Complete the sentence: **Qu'en _____ tu?**

a. penses-

b. est-ce que

c. pense-

d. pense

_____26. Complete the sentence.

Ce tableau-là est joli, mais il n'est pas aussi beau que _____ j'ai acheté.

a. celle que

b. celui que

c. ceux qui

d. celui qui

_____27. Complete the sentence.

Je ne savais pas qu'il _____ .

a. était déjà sorti

b. est déjà sorti

c. va sortir

d. sorte

_____28. Which person is having something done for him/her?

a. J'ai repassé mon linge.

b. J'ai sorti la poubelle.

c. J'ai fait mes bagages.

d. J'ai fait faire un gateau.

_____29. **Bernard joue très patie_____ avec les petits.**

a. -nt

b. -nce

c. -nter

d. -mment

ÉVALUATION: CHAPITRES 6–10

_____30. Complete the sentence.

Noémie m'a emprunté un livre, et elle ne _____ pas encore rendu.

a. me l'a

b. a

c. lui a

d. m'avoir

_____31. How would you tell your cousin to put out a fire?

a. Éteignez le feu.

b. J'éteins le feu.

c. Éteins le feu.

d. Le feu est éteint.

_____32. Complete the sentence.

Si tu m'as persuadé de quelque chose, tu m'as _____.

a. convaincre

b. convaincs

c. convainquais

d. convaincu

_____33. Complete the sentence.

Il veut se baigner, bien qu'_____.

a. il est malade

b. être malade

c. il soit malade

d. être malade

_____34. How would you tell the doctor you'd hurt yourself?

a. Je me suis fait mal.

b. J'ai mal fait.

c. J'ai fait du mal.

d. J'ai fait faire mal.

_____35. How would you say that your brother is a daredevil?

a. Il prend des risques.

b. Il a peur.

c. Il est en train de faire du sport.

d. Il a peur de faire du sport.

ÉVALUATION: CHAPITRES 6–10

Écrivons

36. Your bicycle has been stolen from the train station! You don't know how to get to the police station, nor what to do once you're there. Create a phone conversation between you and the police operator in which you find out: how to get to the police station from the train station, fill out a report answering the police officer is asking you, and how likely it is that you will get your bike back.

_____

_____

_____

_____

_____

_____

_____

_____

_____

_____

_____

_____

_____

Parlons

Respond to the following questions in French.

37. Quel est le meilleur spectacle que tu as vu récemment? Pourquoi?

38. Penses-tu qu'il soit possible d'améliorer l'environnement? Pourquoi ou pourquoi pas?

39. Si tu devais recommander un magazine à tes copains, lequel tu leur recommanderais? Pourquoi?

40. Qu'est-ce que tes amis t'ont dit quand tu leur as annoncé que tu allais te présenter comme candidat aux prochaines élections scolaires?

Answer Key: Évaluation Chapitres 6-10

Écoutons

1. c	4. d
2. f	5. a
3. b	6. e

Vocabulaire

7. b	13. b
8. c	14. c
9. b	15. a
10. d	16. c
11. a	17. b
12. b	18. b

Grammaire

19. c	28. d
20. a	29. d
21. c	30. a
22. d	31. c
23. d	32. d
24. b	33. c
25. a	34. a
26. b	35. a
27. a	

Écrivons

See the Writing Rubric on p. 403.

Sample answer: Rating 4

36.

Moi	Suis-je bien au commissariat de police?
Le secrétaire	Oui.
Moi	Mon vélo a disparu. Je suis sûr qu'il a été volé. Pourriez-vous m'aider?
Le secrétaire	Attendez, je vais vous passer un policier qui va vous poser quelques questions.
Le policier	Alors, on vous a volé votre vélo? Il faudrait que vous veniez ici pour que je puisse dresser le constat, si vous voulez qu'on le retrouve.
Moi	Comment est-ce qu'on arrive au commissariat?
Le policier	Le commissariat est à environ un kilomètre de la gare. Prenez l'avenue Montclair, c'est le chemin le plus court. Etc.

Parlons

See the Writing Rubric on p. 404.

Scripts: Évaluation Chapitres 6–10

Écoutons

1. —Je ne pense pas que vous vous souveniez de moi, mais…

   —Mais si! J'étais sûr de vous connaître, mais je ne me rappelais plus où je vous avais vue.

2. —Cette pièce de théâtre t'a-t-elle plu?

   —Ce n'est pas mon style. Et puis, on voyait mal et on n'entendait pas mieux. Non, je ne l'ai pas du tout aimée.

3. —Tu connais la dernière?

   —Non, raconte!

   —J'ai entendu dire que le premier ministre a démissionné.

   —Moi, je suis persuadé qu'il est malade.

4. —S'il vous plaît… Comment peut-on rejoindre l'autoroute pour Nice?

   —Continuez tout droit pendant encore deux kilomètres et vous verrez l'entrée de l'autoroute sur votre gauche.

   —Merci beaucoup!

   —Je vous en prie, bonne route!

5. —Alors, qu'est-ce que tu vas faire ce soir?

   —J'amène Iris à la première du dernier *Pirates*.

   —Ne va surtout pas voir ça, c'est nul! Je te recommande plutôt d'aller au cirque. Il n'est là que pendant quelques jours encore!

6. —Mademoiselle, j'ai laissé mon billet dans ma voiture au parking. Est-ce que j'ai le temps d'aller le chercher avant que l'avion ne décolle?

   —Bien sûr, monsieur. On n'a même pas commencé l'embarquement.

   —Tant mieux, merci!

Rubric for Evaluating Listening Comprehension

Listening Comprehension Rubric

	Correct Answers	Evaluation
3	**5 – 6** (out of 6)	Student understands all or most of what he or she hears on a variety of topics.
2	**3 – 4** (out of 6)	Student understands about half of what he or she hears on a variety of topics.
1	**1 – 2** (out of 6)	Student understands little or nothing of what he or she hears on a variety of topics.

Rubrics: Évaluation Chapitres 6–10

Vocabulary Rubric

Incorrect Answers (record answers missed)	Exam Item	Corresponding Vocabulary Topic
	7	**Topic 13** Natural Disasters
	8	**Topic 14** The Environment: Problems and Solutions
	9	**Topic 15** Warnings and Predictions
	10	**Topic 16** The Press
	11	**Topic 17** Breaking News
	12	**Topic 18** Government
	13	**Topic 19** Public Services
	14	**Topic 20** The Arts
	15	**Topic 21** Expressing a Point of View and Supporting an Opinion
	16	**Topic 22** Travel by Airplane
	17	**Topic 23** Travel by Automobile
	18	**Topic 24** Asking and Giving Directions

RUBRICS: ÉVALUATION CHAPITRES 6–10

Grammar Rubric

Incorrect Answers (record answers missed)	Exam Item	Corresponding Grammar Concept
	19	**Topic 16** Subjunctive with Doubt and Uncertainty
	20	**Topic 17** Negative Expressions
	21	**Topic 18** Passive Voice
	22	**Topic 19** Comparatives & Superlatives
	23	**Topic 20** Prepositions
	24	**Topic 21** Past Subjunctive
	25	**Topic 22** Inversion
	26	**Topic 23** Demonstrative Pronouns
	27	**Topic 24** The **plus-que-parfait**
	28	**Topic 25** Causative **faire**
	29	**Topic 26** Adverbs
	30	**Topic 27** Object Pronouns
	31, 32	**Topic 28** Verbs like **vaincre, éteindre**
	33	**Topic 29** Subjunctive after Conjunctions
	34, 35	**Topic 30** Idiomatic Expressions

RUBRICS: ÉVALUATION CHAPITRES 6–10

Writing Rubric

	Grammar and Structure (comprehensibility due to correct grammar and sentence structure)	Vocabulary and Content (comprehensibility due to appropriate vocabulary and expressions)	Effort (comprehensibility due to quantity and variety of ways of addressing topic)	Organization and Mechanics (effective communication due to spelling, punctuation, and overall organization)
4	Uses basic grammar and the following correctly: subjunctive with necessity or desire, the **conditionnel de politesse**, the passive voice, the superlative and/or the comparative.	Uses necessary vocabulary and expressions to completely address the topic: asking for/giving directions, asking for/giving advice or help, formal phone vocabulary, government services.	May not know target vocabulary but uses circumlocution and description to completely address the topic.	Few spelling and punctuation errors; well-developed ideas; logical organization; no interference with comprehensibility.
3	Shows command of basic grammar. Uses the following correctly most of the time: the **conditionnel de politesse**, the passive voice, the superlative and/or the comparative May not use the following correctly: subjunctive with necessity or desire.	Uses necessary vocabulary and expressions for the topic with some mistakes in choice of expressions or vocabulary.	Uses circumlocution and description to address the topic fairly adequately.	Some spelling and punctuation errors, but fairly well-developed ideas and logical organization; little interference with comprehensibility.
2	Does not show commands of: subjunctive with necessity or desire, the **conditionnel de politesse**, the passive voice, the superlative and/or the comparative. Shows some errors in basic grammar.	Uses only limited vocabulary and expressions for the topic; student makes many mistakes in choice of expressions or vocabulary.	Little effort: topic is only partially covered. Student uses limited expressions and vocabulary repeatedly.	Many spelling and punctuation errors; ideas are not well developed; frequent lack of logic in organization; some interference with comprehensibility.
1	Little to no control of grammar or sentence structures with frequent errors. Student answers in sentence fragments or run-on sentences.	Poor vocabulary use with frequent interference from native language.	Very little effort, topic is not adequately covered. Student answers in one or two sentences or sentence fragments.	Fragmented and disorganized; poor spelling and use of punctuation; poor comprehensibility.

RUBRICS: ÉVALUATION CHAPITRES 6–10

Speaking Rubric

	Grammar and Structure (comprehensibility due to correct grammar and sentence structure)	Vocabulary and Content (comprehensibility due to appropriate vocabulary and expressions)	Effort (comprehensibility due to quantity and variety of ways of addressing topic)	Fluency and Pronunciation (effective communication due to speech)
4	Uses basic grammar and the following correctly: subjunctive with necessity or desire. the conditional, the indirect discourse, the superlative and/or the comparative.	Uses necessary vocabulary and expressions to completely address the topic: making recommendations, magazines and newspaper, elections and campaign, environment and pollution.	May not know target vocabulary but uses circumlocution and description to completely address the topic.	Very few minor errors; fluid speech without hesitation; no interference with comprehensibility.
3	Shows command of basic grammar. Uses the following correctly most of the time: indirect discourse, the superlative and/or the comparative, subjunctive with necessity or desire, the conditional.	Uses necessary vocabulary and expressions for the topic with some mistakes in choice of expressions or vocabulary.	Uses circumlocution and description to address the topic fairly adequately.	Some minor errors; a few pauses but fairly fluid speech; little interference with comprehensibility.
2	Does not show command of: the subjunctive with necessity or desire. the conditional, the indirect discourse, the superlative and/or the comparative. Shows some errors in basic grammar.	Uses only limited vocabulary and expressions for the topic; student makes many mistakes in choice of expressions or vocabulary.	Little effort: topic is only partially covered. Student uses limited expressions and vocabulary repeatedly.	Regular pauses, pronunciation errors, and grammar and vocabulary mistakes sometimes interfere with comprehensibility.
1	Little to no control of grammar or sentence structures with frequent errors. Student answers in sentence fragments or run-on sentences.	Poor vocabulary use with frequent interference from native language.	Very little effort, topic is not adequately covered. Student answers in one or two sentences or sentence fragments.	Frequent pauses, pronunciation errors, and grammar and vocabulary mistakes interfere with comprehensibility.